#홈스쿨링
#혼자공부하기

똑똑한 하루 글쓰기

Chunjae
Makes
Chunjae

▼

기획총괄	박진영
편집개발	전종현, 이재인, 김민숙, 백경민, 박지윤
디자인총괄	김희정
표지디자인	윤순미, 김지현
내지디자인	박희춘, 배미현
제작	황성진, 조규영

발행일	2021년 5월 1일 초판 2021년 5월 1일 1쇄
발행인	(주)천재교육
주소	서울시 금천구 가산로9길 54
신고번호	제2001-000018호
고객센터	1577-0902

※ 정답 분실 시에는 천재교육 교재 홈페이지에서 내려받으세요.
※ KC 마크는 이 제품이 공통안전기준에 적합하였음을 의미합니다.
※ 주의
책 모서리에 다칠 수 있으니 주의하시기 바랍니다.
부주의로 인한 사고의 경우 책임지지 않습니다.
8세 미만의 어린이는 부모님의 관리가 필요합니다.

3단계 B 공부할 내용 한눈에 보기!

1주 관찰 일기를 써 보자!

2주 제안하는 글을 써 보자!

3주 온라인 글을 써 보자!

4주 견학 기록문을 써 보자!

똑똑한 하루 글쓰기를 함께 할 친구들을 소개합니다.

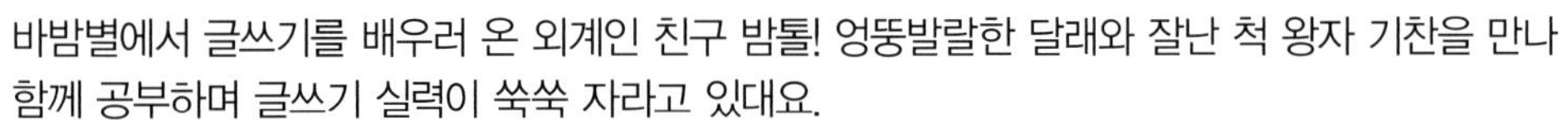

바밤별에서 글쓰기를 배우러 온 외계인 친구 밤톨! 엉뚱발랄한 달래와 잘난 척 왕자 기찬을 만나
함께 공부하며 글쓰기 실력이 쑥쑥 자라고 있대요.

글쓰기 공부를 도와주는 글봇과 말하는 판다 판판도 글쓰기 공부를 함께 할 거예요.
글쓰기 채널을 운영하는 똑똑TV 똑똑이와 술술TV 술술이도 기억해 주세요.

똑똑한 **하루 글쓰기**

3단계 B 스케줄표

공부했으면 빈칸에 체크(v)해 줘!

1주 관찰 일기를 써 보자!

일	쪽	내용	체크
1일	8~17쪽	관찰 상황, 대상, 방법 쓰기	☐
2일	18~23쪽	관찰 내용 쓰기	☐
3일	24~29쪽	생각이나 느낌 쓰기	☐
4일	30~35쪽	관찰 일기 쓰기	☐
5일	36~41쪽	대상의 변화를 기록하기	☐
특강	42~49쪽	창의·융합·코딩 + 누구나 100점 테스트	☐

매주 1일에는 이번 주에 무엇을 배울지도 함께 살펴보자.

한 주 끝! 하루하루 꾸준히 하자!

2주 제안하는 글을 써 보자!

일	쪽	내용	체크
1일	50~59쪽	문제 상황 쓰기	☐
2일	60~65쪽	제안하는 내용 쓰기	☐
3일	66~71쪽	제안하는 까닭 쓰기	☐
4일	72~77쪽	제목 쓰기	☐
5일	78~83쪽	제안하는 글 쓰기	☐
특강	84~91쪽	창의·융합·코딩 + 누구나 100점 테스트	☐

3주 온라인 글을 써 보자!

일	쪽	내용	체크
1일	92~101쪽	댓글 쓰기	☐
2일	102~107쪽	온라인 대화 하기	☐
3일	108~113쪽	SNS에 글 쓰기	☐
4일	114~119쪽	이메일 쓰기	☐
5일	120~125쪽	게시판에 공지 글 쓰기	☐
특강	126~133쪽	창의·융합·코딩 + 누구나 100점 테스트	☐

4주 견학 기록문을 써 보자!

일	쪽	내용	체크
1일	134~143쪽	장소, 날짜, 목적 쓰기	☐
2일	144~149쪽	본 것 쓰기	☐
3일	150~155쪽	들은 것 쓰기	☐
4일	156~161쪽	생각하거나 느낀 것 쓰기	☐
5일	162~167쪽	견학 기록문 쓰기	☐
특강	168~175쪽	창의·융합·코딩 + 누구나 100점 테스트	☐

대단해! 꾸준히 공부해서 한 권을 끝냈구나.

글쓰기, 어떻게 시작할까요?

똑똑한 글쓰기 질문 하나!

글쓰기 공부 왜 필요할까요?

자신의 생각을 표현하는 수단이자 모든 학습의 바탕이 되는 활동이 바로 글쓰기예요. 특히 배운 내용을 정리하고, 이해한 것을 글로 풀어내는 글쓰기 능력은 모든 과목 학습 성취에 큰 영향을 끼친답니다.

똑똑한 글쓰기 질문 둘!

계속되는 글쓰기 공부의 실패 원인은 무엇일까요?

글쓰기를 시작하는 순간부터 아이들은 무엇을 써야 할지, 어떻게 표현할지, 어떻게 고쳐야 자연스러울지 등 많은 고민을 하게 되고, 이를 힘들어한답니다. 이렇게 복잡하고 어려운 글쓰기 과정이 익숙해지지 않았을 때 "이것 한번 써 보렴." 하고 과제를 주면 돌아오는 대답은 "엄마, 글쓰기가 싫어요!"일 수밖에 없을 거예요. 그래서 『똑똑한 하루 글쓰기』는 아이들이 차츰 글쓰기에 익숙해지고 재미를 붙여 나갈 수 있도록 만들었답니다.

똑똑한 글쓰기 질문 셋!

글쓰기 공부 어떻게 시작해야 할까요?

쉽고 재미있는 『똑똑한 하루 글쓰기』로 시작해 보세요. 만화와 게임 형식의 문제로 글쓰기 개념을 익히고, 낱말 쓰기부터 한 편 쓰기까지 단계별로 글쓰기를 연습할 수 있어요. 그리고 고쳐쓰기를 통해 문법 실력을 키우고, 내 생각 쓰기로 마무리하며 창의적 글쓰기까지 연습할 수 있답니다. 하루하루 꾸준히 공부해서 한 권을 끝내면 글쓰기 실력과 함께 자신감도 쑥쑥 자랄 거예요.

똑똑한 하루 글쓰기로 똑똑해지자!

똑똑한 하루 글쓰기!

왜 똑똑한 하루 글쓰기일까요?

1 **10분**이면 **하루 글쓰기 끝!** 쉽고 재미있는 글쓰기 공부!

2 교과 학습 과정을 반영한 **갈래별 글쓰기!** 매주 다양한 갈래로 즐거운 학습!

3 **단계별 글쓰기**로 글쓰기 실력 향상! 낱말 쓰기부터 한 편 쓰기까지!

4 **고쳐쓰기**로 기초 실력 다지기! 어휘력과 문법 실력도 쑥쑥!

5 **창의 • 융합 • 코딩**으로 사고력 넓히기! 생활 어휘부터 코딩 학습까지!

주 도입

한 주 동안 공부할 내용을 만화로 미리 살펴보고, 한 주의 글쓰기 개념을 만화와 문제로 확인합니다.

똑똑한 하루 글쓰기 코스

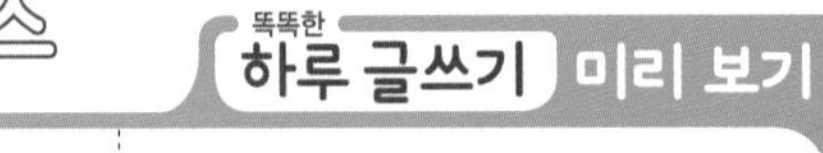

글쓰기 개념 익히기

캐릭터들의 재미있는 대화와 게임 형식의 확인 문제로 핵심 글쓰기 개념을 익힙니다.

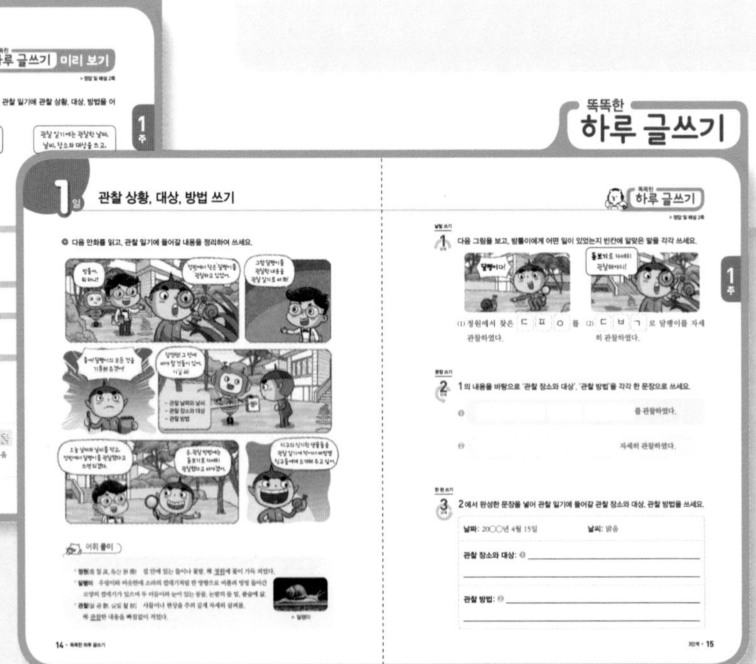

단계별 글쓰기

다양한 글쓰기 상황을 살펴보고, '낱말 쓰기 → 문장 쓰기 → 한 편 쓰기'를 단계별로 학습하며 쉽고 재미있게 글쓰기를 연습합니다.

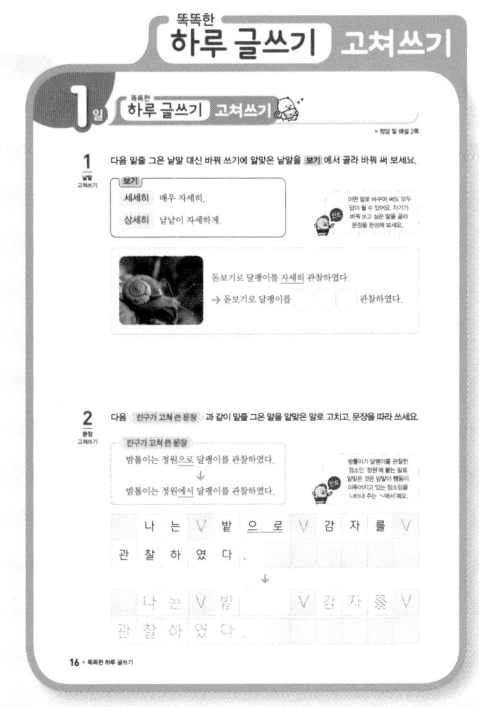

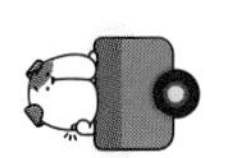

고쳐쓰기

'낱말 고쳐쓰기 → 문장 고쳐쓰기'를 통해 글쓰기의 기본인 어휘력을 높이고 문법과 맞춤법 실력을 다집니다.

내 생각 쓰기로 마무리

하루 학습 목표에 맞게 제시된 주제에 대한 내 생각 쓰기로 하루의 글쓰기 학습을 마무리합니다.

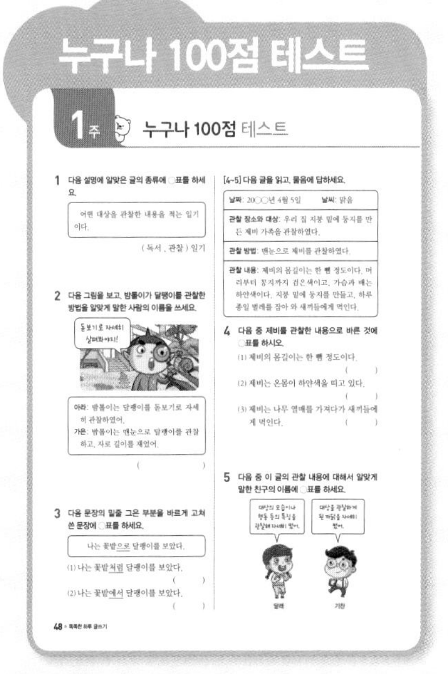

생활 어휘

생활 속에서 자주 쓰는 속담과 관용어의 뜻과 쓰임을 만화로 익힙니다.

창의·융합·코딩 미션

게임 형식의 창의·융합·코딩 미션을 해결하며 재미있게 한 주의 중요 어휘를 확인하고 다양한 배경지식을 넓힙니다.

누구나 100점 테스트

한 주 동안 공부한 내용을 평가하며 갈래별 글쓰기 실력을 확인합니다.

친구들과 약속해요!

우리 같이 약속해요!

첫째, 하루하루 빠짐없이 꾸준히 공부하기!

둘째, 하루 글쓰기 문제 끝까지 다 풀기!

셋째, 또박또박 바르게 글씨 쓰기!

약속하는 사람 ____________

쉽고 재미있는
『똑똑한 하루 글쓰기』로
첫 글쓰기 공부를 시작해 봐요.

똑 똑 한

하루 글쓰기

1 주

1주에는 무엇을 공부할까? ❶

관찰 일기를
쓰 보자!

1일 관찰 상황, 대상, 방법 쓰기
2일 관찰 내용 쓰기
3일 생각이나 느낌 쓰기
4일 관찰 일기 쓰기
5일 대상의 변화를 기록하기

1주

1주

1주에는 무엇을 공부할까? ❷

1-1 관찰 일기에 대한 설명으로 알맞은 것을 골라 ○표를 하세요.

(1) 어떤 대상을 관찰한 내용을 적는 일기이다. ( )

(2) 여행하면서 보고, 듣고, 느끼고, 겪은 것을 자유롭게 쓴 일기이다. ( )

1-2 다음 두 친구는 어떤 글을 쓰면 될지 보기 에서 골라 쓰세요.

보기

독서 일기 | 여행 일기 | 관찰 일기

1 주

▶정답 및 해설 2쪽

2-1 관찰 일기를 쓸 때 들어갈 내용으로 알맞지 않은 것에 ×표를 하세요.

(1) 관찰 내용을 쓴다. ( )

(2) 대상을 관찰하고 든 생각이나 느낌을 쓴다. ( )

(3) 어제 있었던 일 중에서 가장 즐거웠던 일을 쓴다. ( )

2-2 다음 빈칸에 들어갈 내용으로 알맞은 것에 모두 ○표를 하세요.

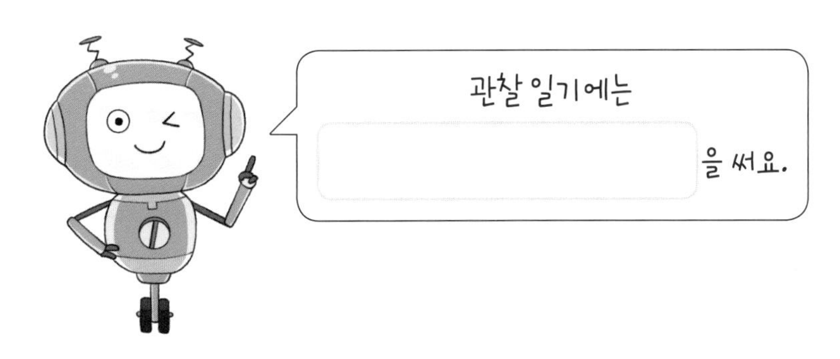

관찰 내용 | 즐거웠던 일 | 슬픈 일

생각이나 느낌 | 읽은 책의 내용

1일 관찰 상황, 대상, 방법 쓰기

관찰한 내용을 쓰기 전에 관찰 상황, 대상, 방법을 써라!

관찰 일기는 어떤 대상을 관찰한 내용을 적는 일기예요.
관찰 일기에는 그날 자신이 본 동물이나 식물 등에 대한 내용을 써요.
먼저 관찰 상황과 관찰 대상이 잘 드러나도록 관찰한 날짜, 날씨, 장소와 대상을 자세하게 써요. 그리고 대상을 관찰한 방법도 함께 써요.

▶정답 및 해설 2쪽

사다리 타기를 하여 도착한 곳의 낱말을 따라 쓰며, 관찰 일기에 관찰 상황, 대상, 방법을 어떻게 쓰는지 알아보아요.

관찰 일기는
관찰 일기에는 그날 자신이 본
관찰 일기에는 관찰한 날짜, 날씨, 장소와 대상을 쓰고,

어떤 대상을 관 찰 한 내용을 적는 일기예요.

동물이나 식 물 등에 대한 내용을 써요.

대상을 관찰한 방 법 도 함께 써요.

1일 관찰 상황, 대상, 방법 쓰기

● 다음 만화를 읽고, 관찰 일기에 들어갈 내용을 정리하여 쓰세요.

어휘 풀이

▼ **정원**|뜰 정 庭, 동산 원 園| 집 안에 있는 뜰이나 꽃밭. ㉠ 정원에 꽃이 가득 피었다.

▼ **달팽이** 우렁이와 비슷한데 소라의 껍데기처럼 한 방향으로 비틀려 빙빙 돌아간 모양의 껍데기가 있으며 두 더듬이와 눈이 있는 동물. 논밭의 돌 밑, 풀숲에 삶.

▼ **관찰**|볼 관 觀, 살필 찰 察| 사물이나 현상을 주의 깊게 자세히 살펴봄. ㉠ 관찰한 내용을 빠짐없이 적었다.

▲ 달팽이

▶정답 및 해설 2쪽

낱말 쓰기

1단계 다음 그림을 보고, 밤톨이에게 어떤 일이 있었는지 빈칸에 알맞은 말을 각각 쓰세요.

돋보기로 자세히
관찰해야지!

(1) 정원에서 찾은 ㄷ ㅍ ㅇ 를 관찰하였다.

(2) ㄷ ㅂ ㄱ 로 달팽이를 자세히 관찰하였다.

문장 쓰기

2단계 **1**의 내용을 바탕으로 '관찰 장소와 대상', '관찰 방법'을 각각 한 문장으로 쓰세요.

❶ 를 관찰하였다.

❷ 자세히 관찰하였다.

한 편 쓰기

3단계 **2**에서 완성한 문장을 넣어 관찰 일기에 들어갈 관찰 장소와 대상, 관찰 방법을 쓰세요.

날짜: 20○○년 4월 15일 **날씨:** 맑음

관찰 장소와 대상: ❶ ______________________

관찰 방법: ❷ ______________________

1 주

1일

똑똑한 **하루 글쓰기** 고쳐쓰기

▶정답 및 해설 2쪽

1 낱말 고쳐쓰기

다음 밑줄 그은 낱말 대신 바꿔 쓰기에 알맞은 낱말을 보기 에서 골라 바꿔 써 보세요.

보기

세세히	매우 자세히.
상세히	낱낱이 자세하게.

어떤 말로 바꾸어 써도 모두 답이 될 수 있어요. 자기가 바꿔 쓰고 싶은 말을 골라 문장을 완성해 보세요.

돌보기로 달팽이를 <u>자세히</u> 관찰하였다.

→ 돋보기로 달팽이를 ☐☐☐ 관찰하였다.

2 문장 고쳐쓰기

다음 친구가 고쳐 쓴 문장 과 같이 밑줄 그은 말을 알맞은 말로 고치고, 문장을 따라 쓰세요.

친구가 고쳐 쓴 문장

밤톨이는 정원<u>으로</u> 달팽이를 관찰하였다.

밤톨이는 정원<u>에서</u> 달팽이를 관찰하였다.

밤톨이가 달팽이를 관찰한 장소인 '정원'에 붙는 말로 알맞은 것은 앞말이 행동이 이루어지고 있는 장소임을 나타내 주는 '~에서'예요.

	나	는	V	밭	<u>으</u>	<u>로</u>	V	감	자	를	V
관	찰	하	였	다	.						

	나	는	V	밭			V	감	자	를	V
관	찰	하	였	다	.						

똑똑한 하루 글쓰기 마무리

내 생각 쓰기로 하루 마무리

▶ 정답 및 해설 2쪽

● 다음 만화를 읽고, 관찰 일기의 빈칸에 알맞은 말을 써넣으세요.

날짜: 20○○년 4월 15일　　　　**날씨:** 맑음

관찰 장소와 대상: ❶ ______________________________

____

관찰 방법: ❷ ______________________________

____

힌트: 관찰 내용을 쓰기 전에 언제, 어디에서, 무엇을, 어떻게 관찰하였는지 등을 적어 두어야 해요.

2일 관찰 내용 쓰기

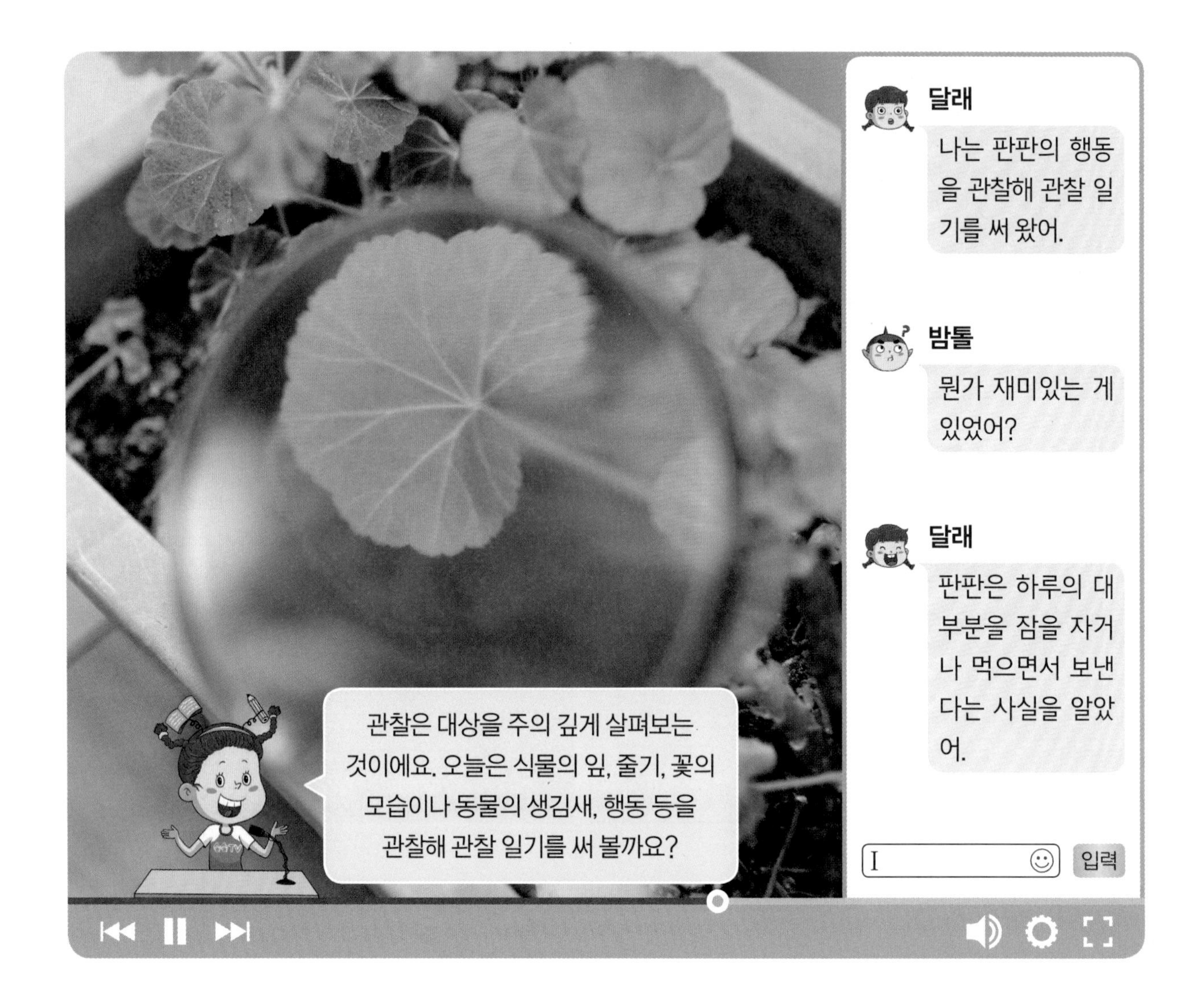

달래
나는 판판의 행동을 관찰해 관찰 일기를 써 왔어.
밤톨
뭔가 재미있는 게 있었어?
달래
판판은 하루의 대부분을 잠을 자거나 먹으면서 보낸다는 사실을 알았어.
관찰은 대상을 주의 깊게 살펴보는 것이에요. 오늘은 식물의 잎, 줄기, 꽃의 모습이나 동물의 생김새, 행동 등을 관찰해 관찰 일기를 써 볼까요?
입력

대상의 특징을 관찰하여 관찰 내용을 써라!

관찰할 대상을 정했다면 대상의 특징을 관찰해 관찰 내용을 써요.

대상의 모습이나 행동 등의 특징을 관찰해 자세히 쓰면 돼요.

대상의 특징이 잘 드러나는 그림을 그리거나 사진을 찍어서 넣어도 좋아요.

▶정답 및 해설 3쪽

◉ 관찰 내용을 쓰는 방법에 맞게 빈칸에 알맞은 말을 쓰고, 그 말을 퍼즐판에서 찾아 ◯표를 하세요.

관찰할 대상을 정했다면
대상의 ❶ 특 징 을
관찰해 관찰 내용을 써요.
대상의 모습이나 행동 등의
특징을 ❷ 해
자세히 쓰면 돼요.
반 성 특 징
엇 갈 비 누
그 미 관 치
림 시 찰 밤
대상의 특징이 잘 드러나는
❸ 이나 사진을
넣어도 좋아요.

2일 관찰 내용 쓰기

◉ 제비를 관찰한 친구들의 말을 잘 읽어 보고, 관찰 일기에 들어갈 관찰 내용을 쓰세요.

어미 제비의 몸길이는 한 뼘 정도 되어 보여.
제비는 머리부터 꽁지까지 검은색이고, 가슴과 배는 하얀색이야.
지붕 밑에 둥지를 만들고 살아.
하루 종일 벌레를 잡아 와 새끼들에게 먹이고 있어.

어휘 풀이

▼**뼘** 엄지손가락과 다른 손가락을 한껏 벌린 길이를 나타내는 단위.

▼**꽁지** 새의 꽁무니에 붙은 깃.

▼**둥지** 새가 알을 낳거나 살기 위해 풀, 나뭇가지 등을 엮어 만든 둥근 모양의 집.
예 제비는 지푸라기와 흙으로 둥지를 꾸민다.

▼**종일**[마칠 종 終, 날 일 日] 아침부터 저녁까지의 동안. 예 흥부는 종일 아무것도 먹지 못했다.

▶정답 및 해설 3쪽

낱말 쓰기

1단계 사진 속 제비를 관찰하고, 빈칸에 알맞은 낱말을 보기 에서 각각 골라 쓰세요.

보기

하얀색 초록색 함정 둥지

(1) 머리부터 꽁지까지 검은색이고, 가슴과 배는 ☐☐☐이다.

(2) 지붕 밑에 ☐☐를 만들고, 하루 종일 벌레를 잡아 와 새끼들에게 먹인다.

문장 쓰기

2단계 1의 내용을 바탕으로 제비의 모습과 행동을 문장으로 정리하여 쓰세요.

❶ 머리부터 꽁지까지 검은색이고,
이다.

❷ 를 만들고, 하루 종일 벌레를 잡아 와 새끼들에게 먹인다.

한 편 쓰기

3단계 2에서 완성한 문장을 넣어 관찰 일기에 들어갈 관찰 내용을 쓰세요.

관찰 내용: 제비의 몸길이는 한 뼘 정도이다.

❶ ____________________

____

❷ ____________________

____

▶ 정답 및 해설 3쪽

1 낱말 고쳐쓰기

다음 문장에서 밑줄 그은 말과 바꿔 쓸 수 있는 길이를 나타내는 낱말을 보기 에서 각각 골라 바꿔 쓰세요.

보기

아름	두 팔을 벌려 껴안은 둘레의 길이를 나타내는 단위.
뼘	엄지손가락과 다른 손가락을 한껏 벌린 길이를 나타내는 단위.

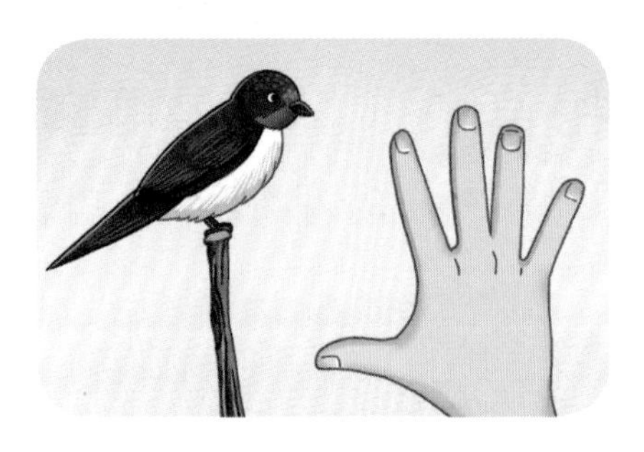

(1) 제비의 몸길이는 18센티미터 정도 되어 보였다.

→ 한 [　　　]

(2) 이 나무는 둘레가 3미터 가까이 되는 것 같다.

→ 두 [　　　]

2 문장 고쳐쓰기

다음 친구가 고쳐 쓴 문장 과 같이 밑줄 그은 말을 알맞은 말로 고치고, 문장을 따라 쓰세요.

친구가 고쳐 쓴 문장

동화책을 처음하고 끝까지 모두 읽었다.

동화책을 처음부터 끝까지 모두 읽었다.

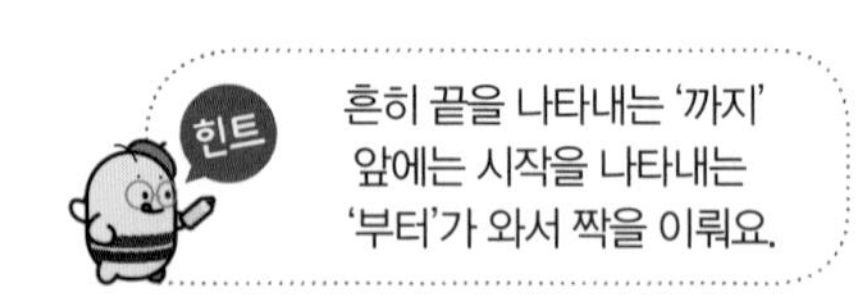
힌트
흔히 끝을 나타내는 '까지' 앞에는 시작을 나타내는 '부터'가 와서 짝을 이뤄요.

	제	비	는	V	머	리	하	고	V	꽁	지
까	지	V	검	은	색	이	다	.			

↓

	제	비	는	V	머	리			V	꽁	지
까	지	V	검	은	색	이	다	.			

똑똑한
하루 글쓰기 마무리

내 생각 쓰기로 하루 마무리

▶정답 및 해설 3쪽

● 사진 속 개미의 모습을 관찰하고, 보기 에서 개미를 관찰한 내용으로 알맞은 것을 두 가지 골라 관찰 내용을 써 보세요.

보기
- 개미의 몸은 머리, 가슴, 배로 나누어져 있다.
- 개미는 모두 날개를 가지고 있다.
- 한 쌍의 더듬이와 여섯 개의 다리를 가졌다.
- 온몸이 두터운 털로 뒤덮여 있다.

날짜: 20○○년 4월 5일 **날씨:** 구름 한 점 없이 맑음

관찰 장소와 대상: 공원에서 개미를 관찰하였다.

관찰 방법: 먹이에 모여든 개미를 돋보기를 사용하여 관찰하였다.

관찰 내용:

3일 생각이나 느낌 쓰기

밤톨
할미꽃을 보니까 우리 할머니가 떠올라.
달래
할미꽃의 꽃은 어떤 모양일지 궁금해.
기찬
할미꽃 열매가 어떻게 생겼는지 처음 알았어.
입력
길가에서 열매를 맺은 할미꽃을 보았어요. 흰 털로 덮인 열매가 꼭 할머니 흰머리 같았어요.

대상을 관찰하며 든 생각이나 느낌을 써라!

관찰 일기에는 대상을 관찰하면서 든 자신의 생각이나 느낌을 쓸 수 있어요.

대상의 모습이나 행동을 관찰하면서 자연스럽게 떠오르는 생각이나 느낌을 쓰면 돼요.

더 알고 싶은 점이나 새롭게 알게 된 점 등을 써도 좋아요.

▶정답 및 해설 4쪽

● 그림에 맞는 퍼즐 모양을 찾아 ◯표를 하고, 관찰 일기에 들어갈 내용 중 무엇에 해당하는지 알아보아요.

관찰 일기에 쓸 생각이나 느낌을 생각하며 문장을 따라 쓰세요.

	흰	V	털	로	V	덮	인	V	열	매	가	V
꼭	V	할	머	니	V	흰	머	리	V	같	다	.

3일 생각이나 느낌 쓰기

● 다음 대화를 읽고, 관찰 일기에 들어갈 생각이나 느낌을 쓰세요.

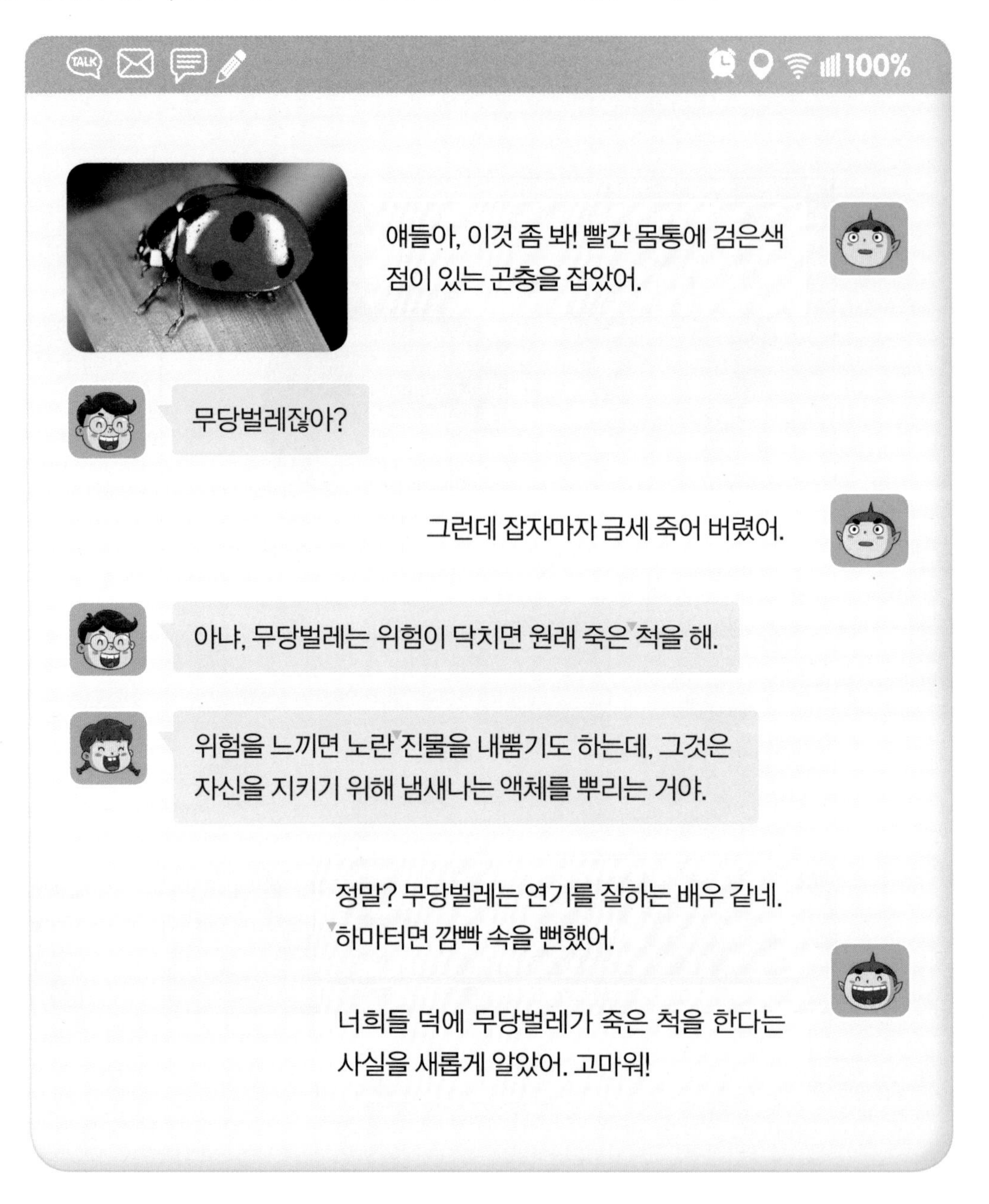

TALK
100%
얘들아, 이것 좀 봐! 빨간 몸통에 검은색 점이 있는 곤충을 잡았어.
무당벌레잖아?
그런데 잡자마자 금세 죽어 버렸어.
아냐, 무당벌레는 위험이 닥치면 원래 죽은 척을 해.
위험을 느끼면 노란 진물을 내뿜기도 하는데, 그것은 자신을 지키기 위해 냄새나는 액체를 뿌리는 거야.
정말? 무당벌레는 연기를 잘하는 배우 같네. 하마터면 깜빡 속을 뻔했어.
너희들 덕에 무당벌레가 죽은 척을 한다는 사실을 새롭게 알았어. 고마워!

어휘 풀이

- **척** 그럴듯하게 꾸미는 거짓 태도나 모양. 예 나는 동생을 못 본 척하였다.
- **진**|진액 진 津|**물** 부스럼이나 상처 따위에서 흐르는 물. 예 딱지가 앉은 상처에서 진물이 나왔다.
- **하마터면** 조금만 잘못하였더라면. 위험한 상황을 겨우 벗어났을 때에 쓰는 말.
  예 길을 가다가 하마터면 넘어질 뻔했다.

▶정답 및 해설 4쪽

1주

낱말 쓰기

1단계 다음 그림을 보고, 무당벌레를 관찰한 밤톨이가 어떤 생각이나 느낌을 가졌는지 빈칸에 알맞은 말을 각각 쓰세요.

(1) 무당벌레는 연기를 잘하는 ㅂ ㅇ 같다.

(2) 무당벌레가 위험이 닥치면 ㅈ ㅇ 척을 한다는 사실을 알았다.

문장 쓰기

2단계 1에서 답한 내용을 바탕으로 밤톨이가 무당벌레를 관찰하며 든 생각이나 느낌을 두 문장으로 정리하여 쓰세요.

❶ 무당벌레는 ______ 같다.

❷ 무당벌레가 위험이 닥치면 ______ 는 사실을 알았다.

한 편 쓰기

3단계 2에서 완성한 문장을 넣어 관찰 일기에 들어갈 생각이나 느낌을 쓰세요.

	❶무	당	벌	레	는	V			V	
		V			V			❷무	당	벌
레	가	V				V			V	
	V			V				V		V

3일 똑똑한 하루 글쓰기 고쳐쓰기

▶ 정답 및 해설 4쪽

1 낱말 고쳐쓰기

다음 친구가 쓴 문장 에서 척 을 뜻이 비슷한 다른 낱말로 바꿔 쓰려고 해요. 보기 에서 뜻이 비슷한 낱말을 골라 바꿔 써 보세요.

보기

체 그럴듯하게 꾸미는 거짓 태도나 모양.

채 이미 있는 상태 그대로 있다는 뜻을 나타내는 말.

친구가 쓴 문장

무당벌레가 죽은 **척** 을 한다는 사실을 알았다.

↓

무당벌레가 죽은 ☐ 를 한다는 사실을 알았다.

힌트 무당벌레는 위험이 닥치면 배를 뒤집고 죽은 듯이 거짓으로 꾸며서 위험을 벗어나요.

2 문장 고쳐쓰기

다음 밤톨이의 말에서 밑줄 그은 부분을 바르게 고치고, 문장을 따라 쓰세요.

무당벌레는 연기를 잘하는
배우 같다. 하마트면 깜빡
속을 뻔했다.

	무	당	벌	레	는	V	연	기	를	V	잘
하	는	V	배	우	V	같	다	.			
	V	깜	빡	V	속	을	V				.

▶정답 및 해설 4쪽

다음 친구가 쓴 글 처럼 사진 속 대상을 관찰하고 든 생각이나 느낌을 빈칸에 써 보세요.

친구가 쓴 글

▲ 민들레 씨앗

관찰 내용: 민들레의 씨앗은 여러 개가 줄기 끝에 달려 있었다. 씨앗은 갈색의 길쭉한 모양이고, 씨앗 위쪽으로 긴 자루가 있다. 그 끝에는 하얀 갓털이 달려 둥근 모양을 이루었다.

생각이나 느낌: 민들레 씨앗에 붙은 갓털들의 모습이 꼭 흰 솜사탕 같다. 씨앗이 바람에 날려 어디까지 날아가는지 궁금하다.

▲ 도꼬마리 열매

도꼬마리 열매의 가시가 씨앗을 널리 퍼뜨리기 위해 있다는 것을 알게 되었어.

관찰 내용: 도꼬마리 열매의 크기는 1센티미터 정도이며, 갈고리 모양의 가시가 많이 달려 있다. 이 가시 때문에 도꼬마리 열매가 사람들 옷에 잔뜩 달라붙었다. 내 옷에도 도꼬마리 열매가 붙어서 잘 떨어지지 않았다.

생각이나 느낌: ____________________

____

힌트 사진 속 도꼬마리 열매를 자세히 관찰해 보고, 관찰 내용도 읽어 보세요. 그리고 떠오르는 생각이나 느낌을 자유롭게 써 보세요. 더 알고 싶은 점이나 새롭게 알게 된 점을 써도 좋아요.

관찰 일기 쓰기

밤톨
나도 매일 대상을 관찰하고 관찰 일기를 쓰는 습관이 생겼어.
글봇
어디 내게 보여 줘 봐. 20일 새벽, 기찬이의 방, 기찬이는 코를 많이 곤다.
기찬
헉? 새벽에 나를 관찰했다고?
요즘 동식물을 자세히 관찰하고 관찰 일기를 쓰는 버릇이 생겼어요. 제가 쓴 관찰 일기를 함께 볼래요?
입력

주변에서 관찰 대상을 찾아 관찰 일기를 써라!

한 가지 대상을 정하여 관찰 일기를 써 봐요.
먼저 관찰한 날짜, 날씨, 장소, 대상, 대상을 관찰한 방법을 써요.
그리고 그 대상의 모습이나 행동 등의 특징을 관찰하여 관찰 내용을 쓰고,
대상을 관찰하며 떠오른 생각이나 느낌을 쓰면 된답니다.

▶정답 및 해설 5쪽

1 주

◎ 사다리 타기를 하여 도착한 곳의 낱말을 따라 쓰며, 관찰 일기를 쓰는 방법을 알아보아요.

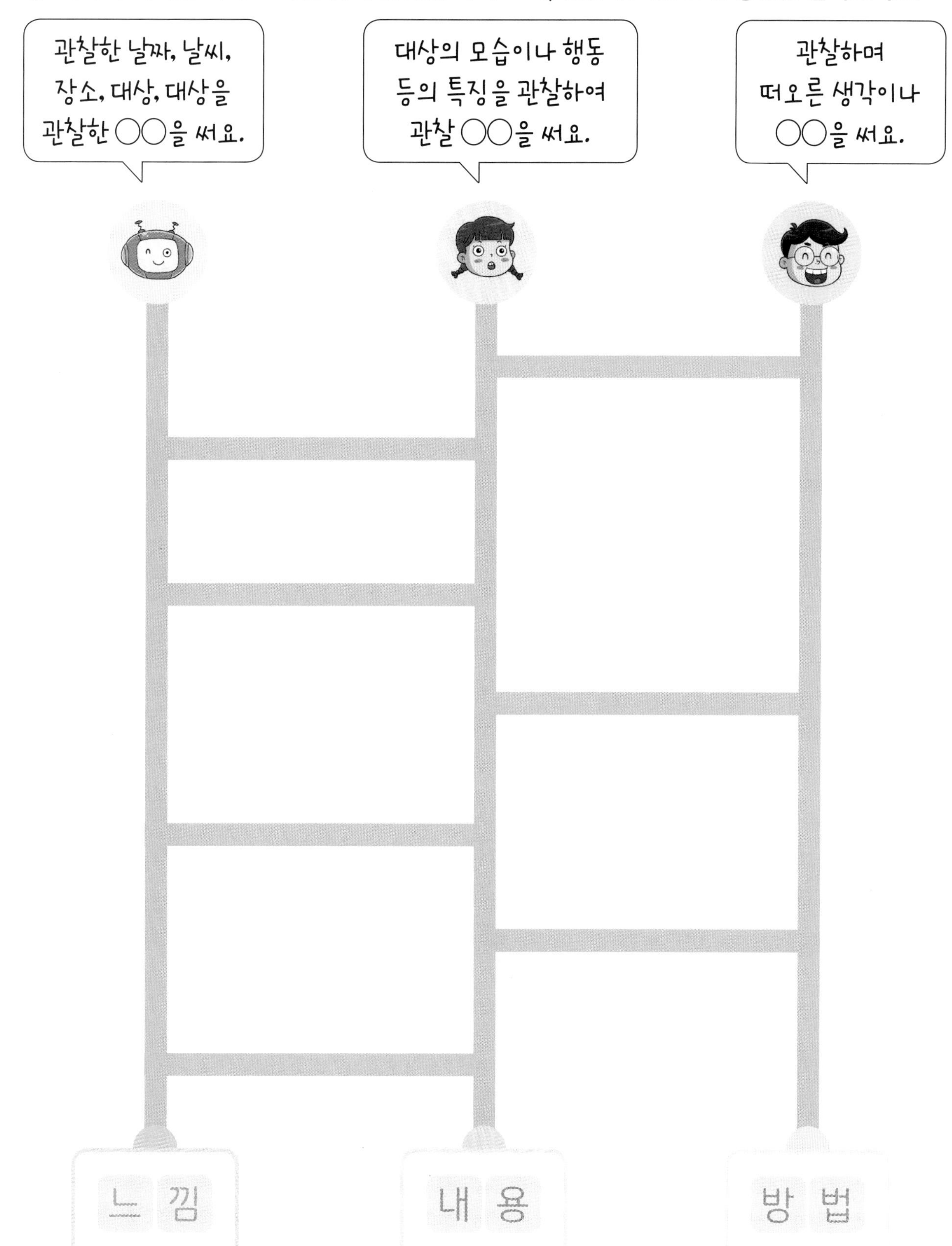

관찰한 날짜, 날씨, 장소, 대상, 대상을 관찰한 ○○을 써요.
대상의 모습이나 행동 등의 특징을 관찰하여 관찰 ○○을 써요.
관찰하며 떠오른 생각이나 ○○을 써요.
느 낌
내 용
방 법

4일 관찰 일기 쓰기

◉ 다음 정호에게 일어난 일을 읽고, 정호가 쓴 관찰 일기를 완성하세요.

나팔꽃

할머니께서는 화단에 ▼가지가지 꽃들을 심어 두셨다. 그중에서 내 ▼눈길을 끈 것은 긴 나무 막대를 휘감고 있는 자주색 꽃이었다.

"그 꽃은 나팔꽃이란다. 우리 정호가 오는 것을 환영하려고 아침부터 활짝 피었구나."

나는 방학 숙제인 관찰 일기를 쓰기 위해서 나팔꽃을 자세히 관찰하고, 줄자를 이용해서 길이도 재 보았다.

2미터나 되는 긴 줄기는 꽂아 놓은 막대를 휘감고 있었다. 잎은 심장 모양이고, 꽃은 자주색의 ▼나팔 모양이었다. 할머니 말씀처럼 나팔꽃이 나팔을 불어 나를 환영해 주는 듯하였다.

어휘 풀이

- ▼**가지가지** 이런저런 여러 가지. ㉎ 엄마께서 가지가지 반찬들을 차려 주셨다.
- ▼**눈길** 주의나 관심을 빗대어 이르는 말. ㉎ 짝꿍의 행동이 선생님의 눈길을 끌었다.
- ▼**나팔**[나팔 나 喇, 입벌릴 팔 叭] 금속으로 만든 관악기의 하나. 군대에서 행군하거나 신호할 때 씀.

▶ 정답 및 해설 5쪽

1주

낱말 쓰기

1단계 정호가 나팔꽃을 어디에서, 어떻게 관찰하였는지 빈칸에 알맞은 말을 각각 쓰세요.

할머니 댁 화단
자세히 관찰하고, 줄자로 길이도 재야지.

관찰 장소와 대상: (1) 할머니 댁 ㅎ ㄷ 에 핀 나팔꽃을 관찰하였다.

관찰 방법: (2) 나팔꽃을 자세히 살펴보고, ㅈ ㅈ 로 길이도 재 보았다.

문장 쓰기

2단계 다음 사진을 보고, 관찰 내용에 알맞은 말을 보기 에서 각각 골라 쓰세요.

보기

막대를 휘감고　　그릇에 들어가　　자주색의 나팔　　노란색의 접시

❶ 2미터나 되는 긴 줄기는 꽂아 놓은 ________ 있다.

❷ 잎은 심장 모양이고, 꽃은 ________ 모양이다.

한 편 쓰기

3단계 2의 내용을 보고, '생각이나 느낌' 부분에 쓸 내용을 보기 에서 한 가지 골라 쓰세요.

보기

금방이라도 나팔꽃이 나팔을 연주해 줄 것 같은 생각이 들었다.

나팔꽃이 어떻게 막대를 휘감고 올라갈 수 있는지 궁금하였다.

생각이나 느낌: ____________________

4일 똑똑한 하루 글쓰기 고쳐쓰기

▶정답 및 해설 5쪽

1 낱말 고쳐쓰기

다음 낱말의 두 가지 뜻을 보고, 밑줄 그은 낱말을 높임 표현에 맞게 고쳐 쓰세요.

말씀 「1」 남의 말을 높여 이르는 말. ㉠ 아버지 말씀이 옳아요.
「2」 자기의 말을 낮추어 이르는 말. ㉠ 아버지, 드릴 말씀이 있어요.

(1) 할머니께서 말하셨다.

→ 할머니께서 ☐☐ 하셨다.

(2) 할머니, 제 말 좀 들어 보세요.

→ 할머니, 제  좀 들어 보세요.

힌트 '말씀'은 남의 말을 높여 이르는 말이기도 하고, 자기의 말을 낮추어 이르는 말이기도 해요.

2 문장 고쳐쓰기

다음 밑줄 그은 부분을 알맞은 높임말로 고치고, 문장을 따라 쓰세요.

할머니가 화단에 가지가지 꽃들을 심어 두었다.

힌트 할머니를 높이려면 밑줄 그은 '가' 대신에 '께서'를 쓰고, '두었다' 대신에 '두셨다'를 써요.

	할	머	니			V	화	단	에	V	가
지	가	지	V	꽃	들	을	V	심	어	V	
		.									

▶정답 및 해설 5쪽

다음 중 관찰 대상을 한 가지 정해 관찰하고, 관찰 일기를 써 보세요.

▲ 고양이

▲ 나무

▲ 나비

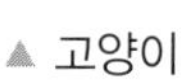

날짜: 년 월 일 **날씨:**

관찰 장소와 대상:

관찰 방법:

관찰 내용:

여기에 관찰 대상을 그려 주세요.

생각이나 느낌:

관찰 대상은 주변에서 쉽게 관찰할 수 있는 대상을 고르고, 대상의 특징을 관찰해 자세하고 알기 쉽게 써야 해요.

5일 대상의 변화를 기록하기

밤톨
병아리가 닭이 되기까지의 과정을 매일매일 관찰 일기로 남겨 볼까?
기찬
며칠에 한 번씩 관찰 일기를 쓰는 게 변화를 관찰하기 더 좋을 것 같아.
글봇
의미 있는 변화가 생겼을 때 관찰 일기를 써도 돼.
입력
며칠 전에 어미 닭이 낳은 달걀로 관찰 일기를 썼는데, 오늘은 알을 깨고 나온 병아리들을 관찰하고 관찰 일기를 써 볼까요?

대상이 변화하는 모습을 관찰하여 관찰 일기에 기록해라!

관찰 일기의 대상이 시간의 흐름에 따라 변화하는 모습을 관찰해 기록해 봐요.
일정한 날짜마다 관찰 일기를 쓰거나 대상에게 의미 있는 변화가 생겼을 때
관찰 일기 쓰기를 반복하면 관찰 대상의 변화를 알 수 있어요.
대상의 어떤 점이 달라졌는지 생각하며 이전 모습과의 차이점을 자세히 써야 해요.

▶ 정답 및 해설 6쪽

● 대상의 변화를 관찰 일기에 기록하는 방법에 맞게 빈칸에 알맞은 말을 쓰고, 그 말을 퍼즐판에서 찾아 ◯표를 하세요.

대상이 ❶ [　　] 의 흐름에 따라 변화하는 모습을 관찰해 관찰 일기를 쓰기도 해요.

일정한 날짜마다 관찰 일기를 쓰거나 의미 있는 ❷ [　　] 가 생겼을 때 관찰 일기 쓰기를 반복해요.

로 봇 비 차
변 화 행 이
중 공 성 점
학 시 간 집

대상의 어떤 점이 달라졌는지 생각하며 이전 모습과의 ❸ [　　　] 을 자세히 써야 해요.

5일 대상의 변화를 기록하기

● 다음 관찰 일기들을 보고, 번데기가 된 배추흰나비를 관찰해 관찰 일기를 쓰세요.

날짜: 20○○년 4월 1일 **날씨:** 흐림

관찰 장소와 대상: 집에서 배추흰나비 알을 사육통에 넣어 놓고 관찰하였다.

관찰 방법: 돋보기로 알을 자세히 관찰하였다.

관찰 내용:

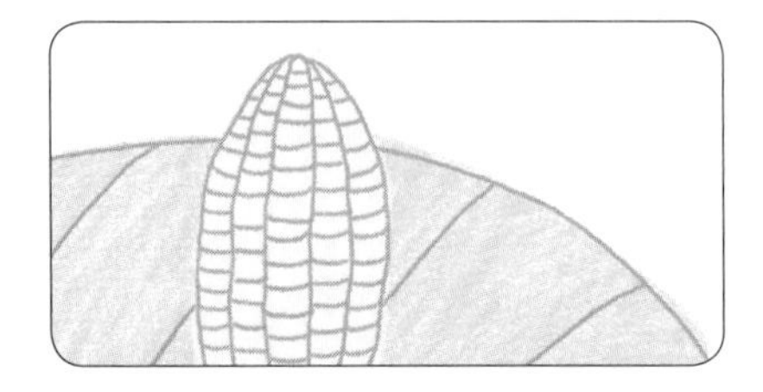

배추흰나비의 알은 조금 긴 옥수수 열매처럼 생겼다. 크기는 1밀리미터 정도이고, 연한 노란색을 띠고 있다. 움직임은 전혀 없었다.

생각이나 느낌: 작고 노란 알에서 어떤 애벌레가 나올지 궁금하였다.

날짜: 20○○년 4월 20일 **날씨:** 맑음

관찰 장소와 대상: 집에서 사육통 안의 배추흰나비 애벌레를 관찰하였다.

관찰 방법: 맨눈으로 애벌레를 자세히 관찰하였다.

관찰 내용:

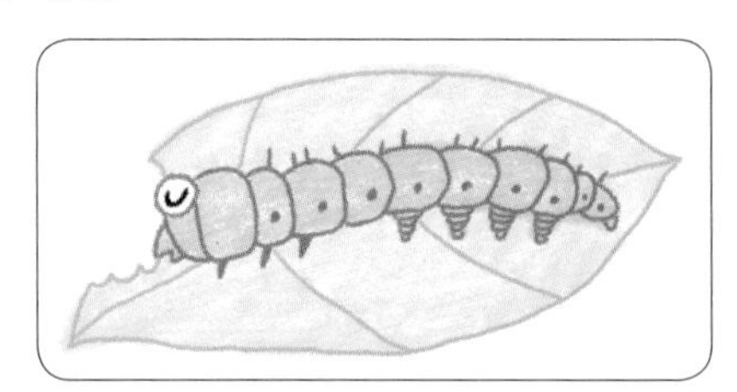

몸이 긴 원통 모양이고, 마디가 있다. 몸에 털이 나 있다. 크기는 3센티미터 정도로 커졌고, 색깔은 초록색이 되었다. 꾸물꾸물 기어 다니면서 잎을 갉아 먹었다.

생각이나 느낌: 애벌레가 전혀 다른 모습의 나비가 된다는 사실이 신기했다.

4월 25일 날씨는 맑음.
오늘은 번데기로 변한 모습을
관찰 일기로 써야겠어.

번데기는 움직이지
않으니까 생김새를
자세히 쓰는 게 좋겠어.

▶ 정답 및 해설 6쪽

낱말 쓰기

1 단계 **다음 사진을 보고, 빈칸에 알맞은 말을 보기 에서 각각 골라 쓰세요.**

보기

뾰족하다 | 둥그렇다 | 비슷해 | 달라서

(1) 겉은 딱딱하고, 양쪽 끝은 □□□□.

(2) 몸 색깔은 주변의 색깔과 □□□ 눈에 잘 띄지 않으며, 움직이거나 먹이를 먹지 않는다.

문장 쓰기

2 단계 **1의 내용을 바탕으로 번데기를 관찰한 내용을 두 문장으로 정리하여 쓰세요.**

❶ 겉은 딱딱하고, .

❷ 몸 색깔은 눈에 잘 띄지 않으며, 움직이거나 먹이를 먹지 않는다.

한 편 쓰기

3 단계 **2에서 완성한 문장을 넣어 관찰 내용을 쓰세요.**

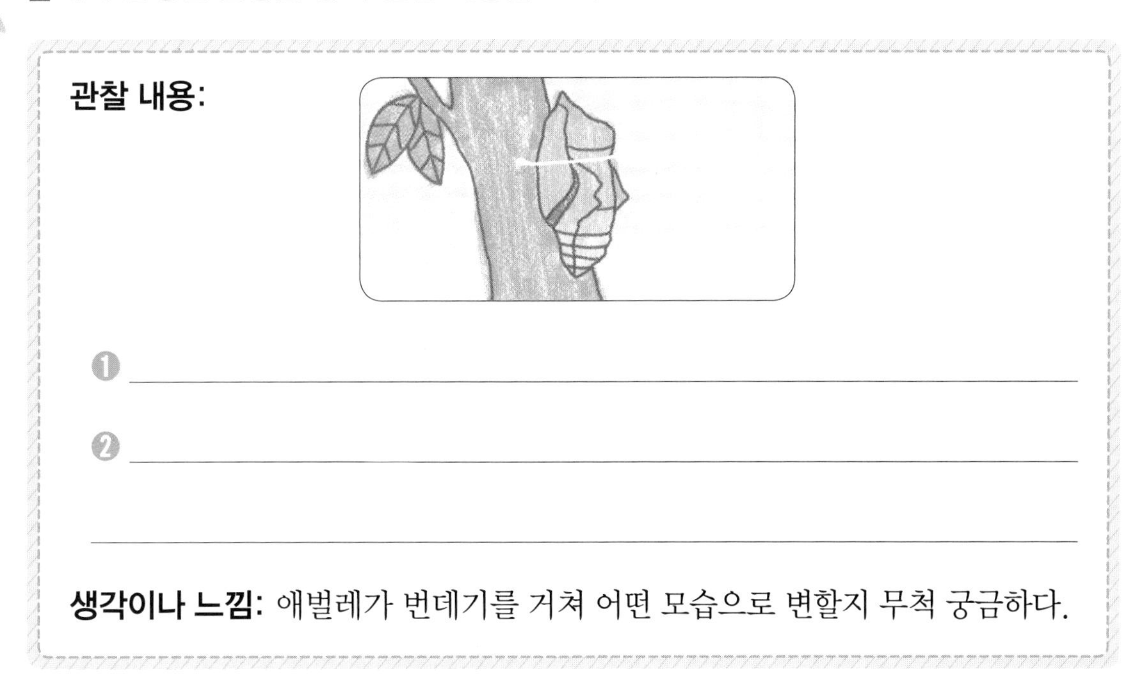

관찰 내용:

❶ ______

❷ ______

______

생각이나 느낌: 애벌레가 번데기를 거쳐 어떤 모습으로 변할지 무척 궁금하다.

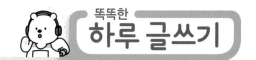

5일 똑똑한 하루 글쓰기 고쳐쓰기

▶ 정답 및 해설 6쪽

1 낱말 고쳐쓰기

다음 친구가 쓴 문장 에서 밑줄 그은 말을 뜻이 비슷한 다른 낱말로 고쳐 쓰려고 해요. 보기 에서 뜻이 비슷한 낱말을 골라 바꿔 써 보세요.

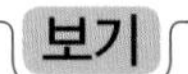

길쭉한	조금 긴.
기름한	조금 긴 듯한.

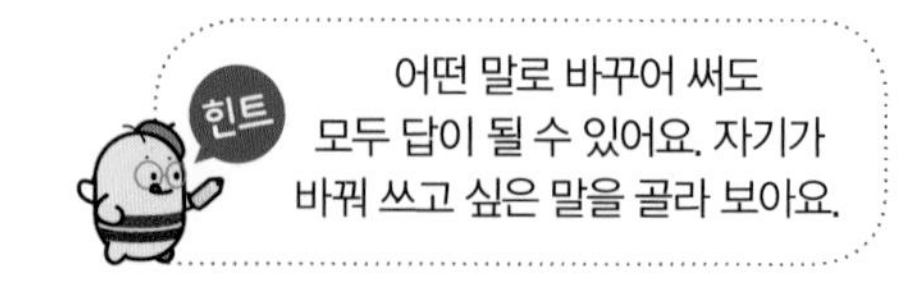

힌트
어떤 말로 바꾸어 써도 모두 답이 될 수 있어요. 자기가 바꿔 쓰고 싶은 말을 골라 보아요.

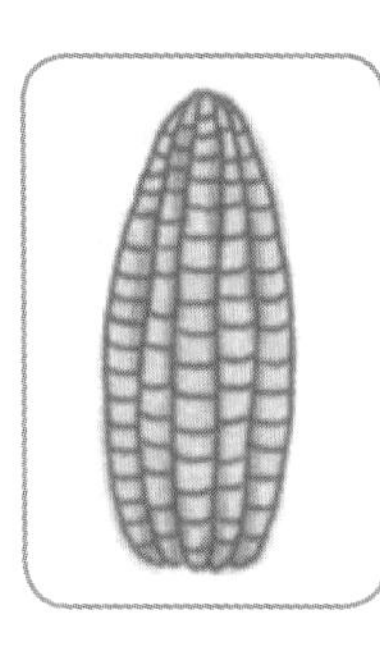

친구가 쓴 문장

배추흰나비의 알은 조금 긴 옥수수 열매처럼 생겼다.

↓

배추흰나비의 알은 ☐☐☐ 옥수수 열매처럼 생겼다.

2 문장 고쳐쓰기

다음 친구가 쓴 문장 과 같이 두 문장을 하나로 합쳐서 한 문장으로 만들어 쓰세요.

친구가 쓴 문장

애벌레가 꾸물꾸물 기어 다닌다. 그러면서 잎을 갉아 먹는다.

↓

애벌레가 꾸물꾸물 기어 다니면서 잎을 갉아 먹는다.

나비가 팔랑팔랑 날갯짓한다. 그러면서 꽃을 옮겨 다닌다.

↓

	나	비	가	V	팔	랑	팔	랑	V		
				V	꽃	을	V	옮	겨	V	다
닌	다	.									

▶정답 및 해설 6쪽

나비로 변한 배추흰나비 사진과 친구들의 대화를 보고, 관찰 일기에 들어갈 알맞은 내용을 보기 에서 각각 골라 쓰세요.

대부분의 곤충처럼 몸은 세 부분으로 나뉘고, 다리 세 쌍과 날개 두 쌍을 가지고 있어.

하얀 날개를 팔랑이는 나비가 무척 아름다워.

보기

다리 세 쌍과 흰색 날개 두 쌍이 붙어 있다. 등에 딱딱한 껍질을 지고 다닌다.

하얀 날개를 팔랑이는 나비가 무척 아름답다.

날짜: 20○○년 4월 30일	**날씨:** 맑음
관찰 장소와 대상: 집에서 사육통 안의 배추흰나비를 관찰하였다.	
관찰 방법: 나비를 맨눈으로 관찰하고, 관찰이 끝난 나비를 꽃밭에 놓아주었다.	
관찰 내용:  몸이 머리, 가슴, 배 세 부분으로 나뉘고, ❶ ______________________ 애벌레 때와는 달리 날개를 이용해 날아다니고, 꽃에 앉아 긴 대롱 모양의 입을 펴서 꿀을 먹었다.	
생각이나 느낌: ❷ ______________________	

힌트 배추흰나비는 약 한 달 동안 알, 애벌레, 번데기, 어른벌레를 거치며 자라요. 어른벌레가 된 배추흰나비를 관찰해 관찰 일기를 써 봐요.

생활 어휘 다음 만화를 보며 속담의 뜻을 알아보고, 상황에 맞게 속담을 써 보세요.

거미도 줄을 쳐야 벌레를 잡는다

일주일 뒤에 회장 선거를 할 테니 둘은 그동안 연설문을 준비하도록 하세요.
네!

보듬아, 선거에서 우등이를 이길 좋은 방법이 없을까?
음…….

'거미도 줄을 쳐야 벌레를 잡는다'라는 말처럼 아이들에게 표를 얻을 방법을 차근차근 준비해 봐.

그게 무슨 소리야?

앗! 우등이다. 뭐 하는 거지?

무겁지? 내가 대신 들어 줄게.
고마워, 우등아.

위험해 보인다. 나랑 같이 들자.

저 녀석……. 반장 선거 때문에 친절하게 구는 것 좀 봐.

▶정답 및 해설 7쪽

속담의 뜻을 알아봐요!

거미도 줄을 쳐야 벌레를 잡는다

이 속담은 "무슨 일이든지 목적에 맞는 준비가 있어야 좋은 성과를 얻을 수 있다."라는 뜻이랍니다.

이제 이 속담을 넣어 상황에 맞게 써 볼까요?

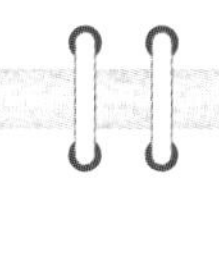

"□□□ □□□ □□ □□□ □"라는 말이 있어. 줄넘기 대회에서 우승하려면 그만큼 준비를 잘해야 해.

● 어떤 낱말의 뜻인지 알맞은 답을 찾아 따라 쓰며, 관찰 대상인 배추흰나비가 있는 곳을 찾아 가세요.

창의 1주에 나왔던 **낱말과 그 뜻**을 익히며 관찰 대상인 배추흰나비가 있는 곳까지 찾아갑니다.

▶정답 및 해설 7쪽

● 다음 코딩 명령을 따라가서 지호가 관찰할 대상이 무엇인지 쓰세요.

코딩 명령

출발에서 이동을 시작했을 때
⬆ 방향으로 3칸 이동하기
➡ 방향으로 2칸 이동하기

지호는 공원에서 ☐☐☐를 관찰하고 관찰 일기를 쓰기로 하였어요.

코딩 **코딩 명령**에 따라 이동하여 **관찰 대상을 고르는 미션**을 해결해 봅니다.

● 친구들이 동물 중 한 가지를 함께 관찰하고 관찰 내용을 말하고 있어요. 친구들이 관찰 중인 동물로 알맞은 것에 ○표를 하세요.

(1) 고추잠자리	(2) 달팽이	(3) 무당벌레	(4) 나비
(　　　)	(　　　)	(　　　)	(　　　)

융합 국어+과학

그림 속 동물들을 관찰하며 동물들의 특징을 살펴보고, **친구들이 관찰한 동물이 무엇인지** 찾아봅니다.

▶정답 및 해설 7쪽

◉ 스위스인 조르주 드 메스트랄의 관찰은 훌륭한 발명으로 이어졌어요. 다음 기호가 나타내는 글자가 무엇인지 알아보고, 그가 도꼬마리를 관찰하고 무엇을 발명하였는지 쓰세요.

기호	♣	♥	◉	★	♠	◆	▲
나타내는 글자	낙	벨	하	크	수	복	로

조르주 드 메스트랄은 도꼬마리 열매에 있는 갈고리 모양의 가시를 보고, 옷과 신발의 단추나 끈보다 더 쉽게 붙였다 떼었다 할 수 있는 ☐☐☐를 만들었어요.

창의 자연에 대한 관찰이 **어떤 물건의 발명으로 이어졌는지** 알아봅니다.

1주 누구나 100점 테스트

1 다음 설명에 알맞은 글의 종류에 ◯표를 하세요.

> 어떤 대상을 관찰한 내용을 적는 일기이다.

(독서 , 관찰) 일기

2 다음 그림을 보고, 밤톨이가 달팽이를 관찰한 방법을 알맞게 말한 사람의 이름을 쓰세요.

> **아라:** 밤톨이는 달팽이를 돋보기로 자세히 관찰하였어.
> **가은:** 밤톨이는 맨눈으로 달팽이를 관찰하고, 자로 길이를 재었어.

(　　　　　　)

3 다음 문장의 밑줄 그은 부분을 바르게 고쳐 쓴 문장에 ◯표를 하세요.

> 나는 꽃밭<u>으로</u> 달팽이를 보았다.

(1) 나는 꽃밭<u>처럼</u> 달팽이를 보았다. (　　)

(2) 나는 꽃밭<u>에서</u> 달팽이를 보았다. (　　)

[4~5] 다음 글을 읽고, 물음에 답하세요.

날짜: 20◯◯년 4월 5일　　**날씨:** 맑음
관찰 장소와 대상: 우리 집 지붕 밑에 둥지를 만든 제비 가족을 관찰하였다.
관찰 방법: 맨눈으로 제비를 관찰하였다.
관찰 내용: 제비의 몸길이는 한 뼘 정도이다. 머리부터 꽁지까지 검은색이고, 가슴과 배는 하얀색이다. 지붕 밑에 둥지를 만들고, 하루 종일 벌레를 잡아 와 새끼들에게 먹인다.

4 다음 중 제비를 관찰한 내용으로 바른 것에 ◯표를 하시오.

(1) 제비의 몸길이는 한 뼘 정도이다. (　　)

(2) 제비는 온몸이 하얀색을 띠고 있다. (　　)

(3) 제비는 나무 열매를 가져다가 새끼들에게 먹인다. (　　)

5 다음 중 이 글의 관찰 내용에 대해서 알맞게 말한 친구의 이름에 ◯표를 하세요.

대상의 모습이나 행동 등의 특징을 관찰해 자세히 썼어.

달래

대상을 관찰하게 된 까닭을 자세히 썼어.

기찬

▶ 정답 및 해설 8쪽

글쓰기

6 다음은 사진 속 할미꽃을 관찰하고 든 생각이나 느낌을 쓴 문장이에요. 알맞은 말을 보기 에서 골라 문장을 완성하고 따라 쓰세요.

보기

화려한 무지개 　 할머니 흰머리

	흰	V	털	로	V	덮	인
열	매	가	V	꼭	V		
	V				V	같	다.

7 다음 중 관찰 대상인 무당벌레에 대해 더 알고 싶은 점을 말한 사람의 이름을 쓰세요.

서영: 무당벌레는 무엇을 먹고 사는지 알고 싶어졌어.
은주: 무당벌레는 위험이 닥치면 죽은 척을 한다는 사실을 새롭게 알았어.

(　　　　　)

8 다음 문장을 높임 표현에 맞게 바르게 고쳐 쓴 문장에 ◯표를 하세요.

할머니가 말하였다.

(1) 할머니께서 말하였다. (　)
(2) 할머니께서 말씀하셨다. (　)

[9~10] 다음 글을 읽고, 물음에 답하세요.

관찰 방법: 맨눈으로 애벌레를 자세히 관찰하였다.

관찰 내용: 몸이 긴 원통 모양이고, 마디가 있다. 몸에 털이 나 있다. 크기는 3센티미터 정도로 커졌고, 색깔은 초록색이 되었다. [㉠] 기어 다니면서 잎을 갉아 먹었다.
생각이나 느낌: 애벌레가 전혀 다른 모습의 나비가 된다는 사실이 신기했다.

9 이 글에서 관찰한 대상을 그린 그림으로 알맞은 것에 ◯표를 하세요.

(1)
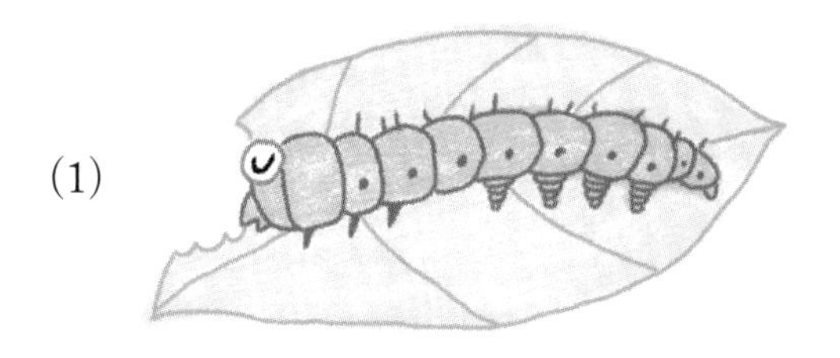

(2)

글쓰기

10 보기 에서 [㉠] 안에 들어갈 알맞은 말을 골라 문장을 완성하고, 따라 쓰세요.

보기

팔랑팔랑 　 꾸물꾸물 　 첨벙첨벙

					V	기	어 V
다	니	면	서	V	잎	을	V
갉	아	V	먹	었	다	.	

2주 2주에는 무엇을 공부할까? ❶

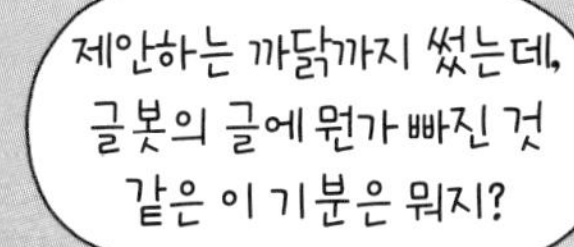

제안하는 글을 써 보자!

- 1일 문제 상황 쓰기
- 2일 제안하는 내용 쓰기
- 3일 제안하는 까닭 쓰기
- 4일 제목 쓰기
- 5일 제안하는 글 쓰기

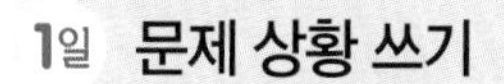

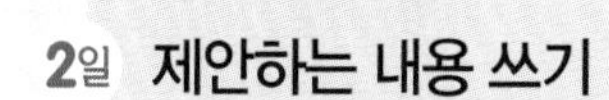

2주에는 무엇을 공부할까? ❷

1-1 다음 그림 속 문제를 해결하기 위해 제안하는 글을 쓰려고 할 때, 제안하는 글에 들어갈 내용으로 알맞지 않은 것을 골라 ×표를 하세요.

문제 상황	첫인사
제안하는 내용	제안하는 까닭

1-2 다음은 제안하는 글에 들어갈 내용 중 무엇에 해당하는지 알맞은 것을 골라 따라 쓰세요.

사람들이 쓰레기를 버려 공원이 더럽습니다.

문 제 상 황

잘 하 는 점

장 래 희 망

2 주

▶ 정답 및 해설 9쪽

2-1 다음 중 제안하는 내용을 쓰는 방법으로 알맞지 않은 것에 ×표를 하세요.

(1) 실천할 수 없는 제안을 쓴다. ( )

(2) 문제 상황을 해결하기 위한 자신의 의견을 담아 쓴다. ( )

(3) '~하면 좋겠습니다.', '~합시다.', '~해 봅시다.', '~하면 어떨까요?' 등의 표현을 사용한다. ( )

2-2 다음 그림을 보고, 제안하는 내용으로 알맞은 문장을 따라 쓰세요.

음식을 먹은 뒤에는 바로 양 치 를 합 시 다 .

물 을 마 십 니 다 .

1일

문제 상황 쓰기

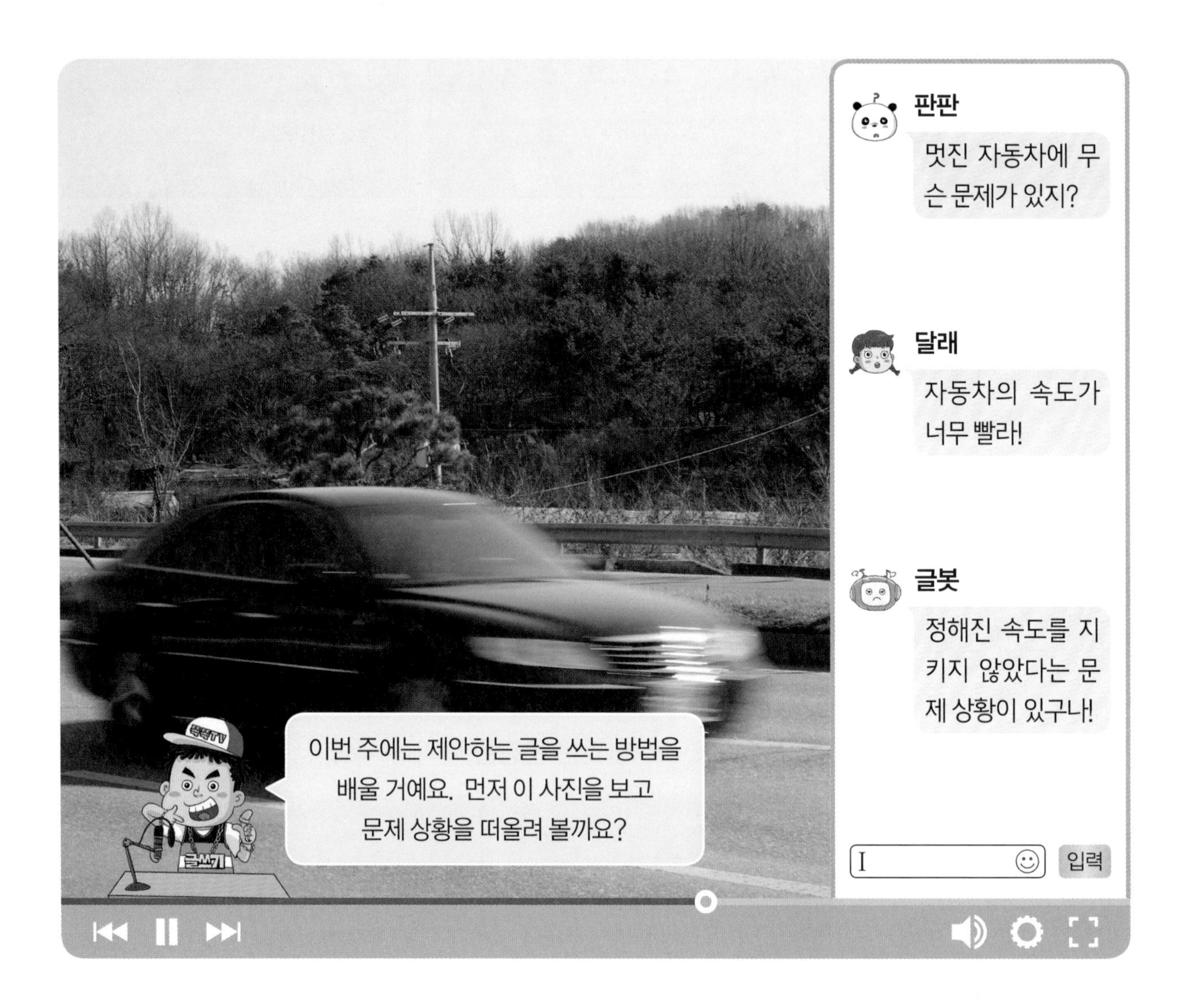

판판
멋진 자동차에 무슨 문제가 있지?
달래
자동차의 속도가 너무 빨라!
글봇
정해진 속도를 지키지 않았다는 문제 상황이 있구나!
이번 주에는 제안하는 글을 쓰는 방법을 배울 거예요. 먼저 이 사진을 보고 문제 상황을 떠올려 볼까요?
글쓰기
입력

제안하는 글에 문제 상황을 써라!

제안하는 글은 어떤 문제를 해결하기 위해 다른 사람에게 어떤 일을 하자고 자신의 의견과 그 까닭을 이야기하려고 쓴 글이에요.

제안하는 글에 문제 상황을 쓸 때에는 불편하거나 바꾸었으면 하는 점이나 함께 결정해야 할 문제를 다른 사람들이 알 수 있게 자세히 써야 한답니다.

▶정답 및 해설 9쪽

2 주

◉ 문제 상황을 떠올려 제안하는 글을 쓰는 방법에 맞게 빈칸에 알맞은 말을 쓰고, 그 말을 퍼즐판에서 찾아 ○표를 하세요.

제안하는 글은 어떤 문제를 해결하기 위해 다른 사람에게 어떤 일을 하자고 자신의 ❶ 의 견 과 그 ❷ ( ) ( ) 을 이야기하려고 쓴 글이에요.

까	닭	새	의
육	리	우	견
불	편	예	비
주	소	문	제

❸ ( ) ( ) 상황을 쓸 때에는 ❹ ( ) ( ) 하거나 바꾸었으면 하는 점이나 함께 결정해야 할 문제를 다른 사람들이 알 수 있게 자세히 써요.

1일 문제 상황 쓰기

● 다음 누리집의 글을 읽고, 제안하는 글에 들어갈 문제 상황을 써 보세요.

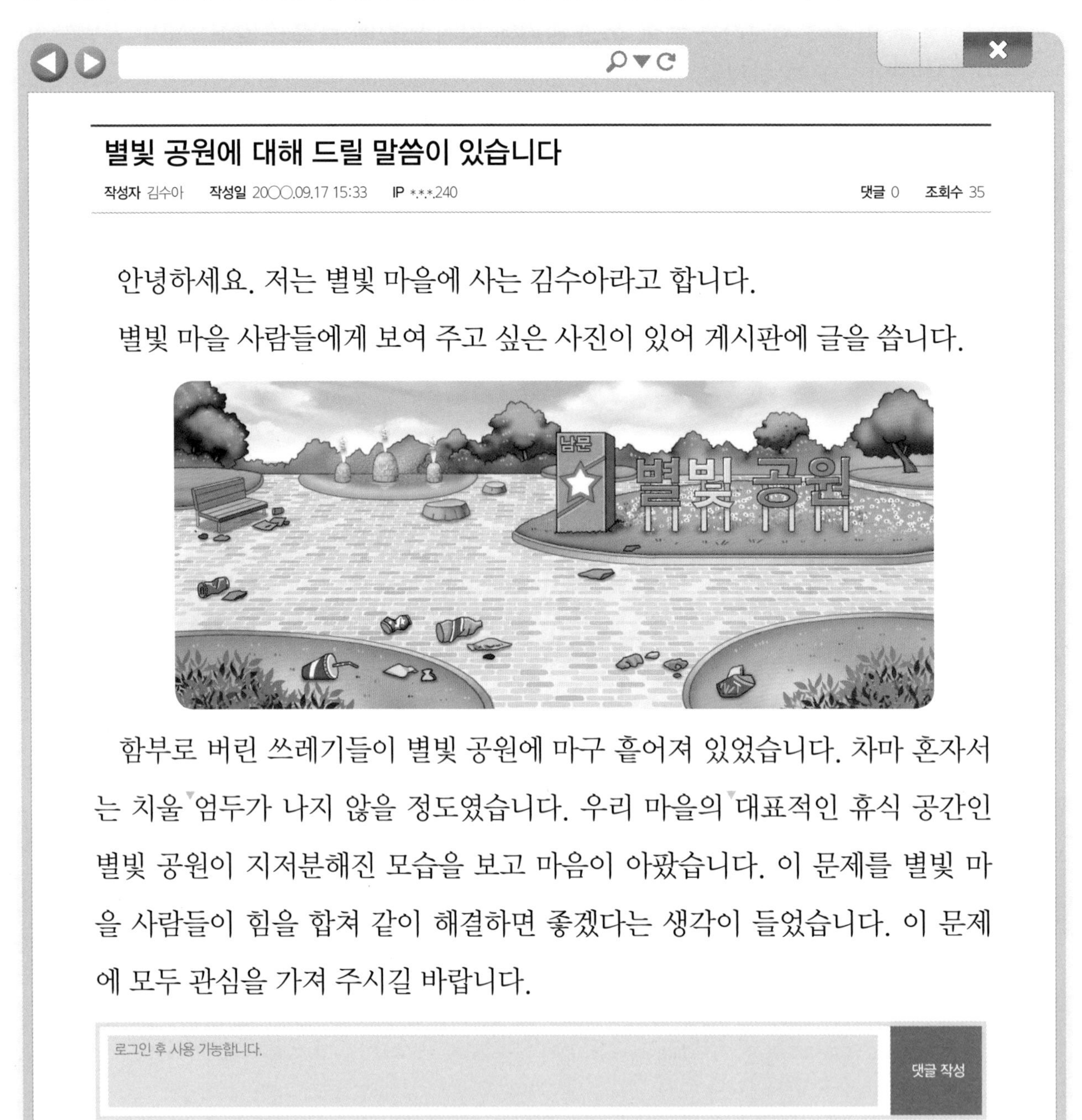

어휘 풀이

▼**엄두** 감히 무엇을 하려는 마음을 먹음. 또는 그 마음. 예 마라톤을 시작할 엄두를 못 냈다.

▼**대표적**|대신할 대 代, 겉 표 表, 과녁 적 的| 어떤 집단이나 분야를 대표할 만큼 가장 두드러지거나 뛰어난 것. 예 경복궁은 조선 시대의 대표적인 궁궐이다.

▶정답 및 해설 9쪽

낱말 쓰기

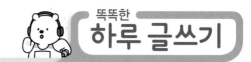

1 다음 그림에 나타난 문제 상황으로 알맞은 낱말을 보기 에서 골라 빈칸에 각각 쓰세요.

보기

쓰레기　　목걸이　　물결 공원　　별빛 공원

(1) 사람들이 함부로 버린 ☐☐☐ 들이 공원에 마구 흩어져 있다.

(2) ☐☐☐☐ 이 지저분하다.

문장 쓰기

2 1에서 답한 문제 상황을 한 문장으로 정리해서 쓰세요.

사람들이 ________________ 공원에
마구 흩어져 있어 ________________ 합니다.

한 편 쓰기

3 2에서 완성한 문장을 넣어 수아가 쓴 제안하는 글에 들어갈 문제 상황을 정리하여 쓰세요.

	사	람	들	이	V				V			V
					V	공	원	에	V			V
			V	있	어	V			V			
	V											

▶ 정답 및 해설 9쪽

1 낱말 고쳐쓰기

문장의 밑줄 그은 낱말을 각각 바르게 고쳐 쓰세요.

(1) <u>계시판</u>에 글을 씁니다.

↓

☐☐☐

(2) <u>함부러</u> 버린 쓰레기들

↓

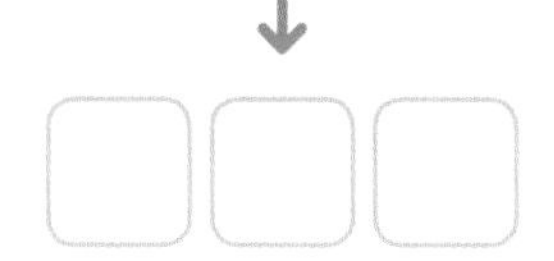

2 문장 고쳐쓰기

다음 친구가 고쳐 쓴 문장 과 같이 알맞은 말을 넣어 문장을 고치고 따라 쓰세요.

친구가 고쳐 쓴 문장

<u>차마</u> 혼자서는 치울 엄두가 <u>났다</u>.

↓

<u>차마</u> 혼자서는 치울 엄두가 <u>나지 않았다</u>.

'차마'는 '~없다.', '~못 하다.', '~않다.' 등의 부정적인 말과 같이 쓰여요.

	차	마	V	발	걸	음	이	V	떨	어	졌
다	.										

↓

똑똑한 하루 글쓰기 마무리

내 생각 쓰기로 하루 마무리

▶정답 및 해설 10쪽

● 친구가 쓴 글 처럼 다음 그림에 나타난 문제 상황을 쓰세요.

친구가 쓴 글

계단에서 위험하게 뛰는 친구들이 많습니다.

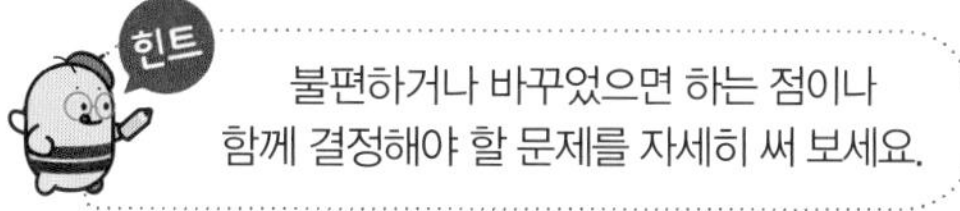

힌트
불편하거나 바꾸었으면 하는 점이나
함께 결정해야 할 문제를 자세히 써 보세요.

2일 제안하는 내용 쓰기

달래
과자 봉지들이 마구 버려져 있다는 문제 상황이 있어.
기찬
'먹고 난 과자 봉지는 쓰레기통에 버립시다.'라고 제안하는 내용을 써야겠다.
판판
뭐? 과자? 그거 대나무의 잎보다 맛있는 거야?
입력
이 그림에 나타난 문제 상황을 해결하기 위한 제안하는 내용을 써 봐요.
글쓰기

자신의 의견을 담아 제안하는 내용을 써라!

제안하는 글에는 문제 상황을 해결하기 위한 자신의 의견을 담아 제안하는 내용을 써요. 이때, 실천할 수 있는 제안을 써야 해요.
제안하는 내용을 쓸 때에는 '~하면 좋겠습니다.', '~합시다.', '~해 봅시다.', '~하면 어떨까요?' 등의 표현을 사용할 수 있어요.

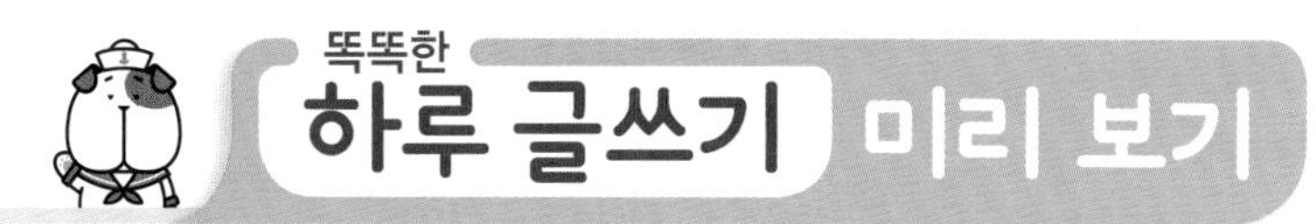

▶정답 및 해설 10쪽

◎ 제안하는 내용을 쓸 때 사용할 수 있는 표현을 생각하며, 빈칸에 알맞은 말을 따라 써 보세요.

- ~ 하 면 좋 겠 습 니 다 .
- ~ 합 시 다 .
- ~ 해 봅 시 다 .
- ~ 하 면 어 떨 까 요 ?

2주

◎ 위에서 따라 쓴 말을 모두 찾아 색칠해 보고, 어떤 모양이 나오는지 알아보아요.

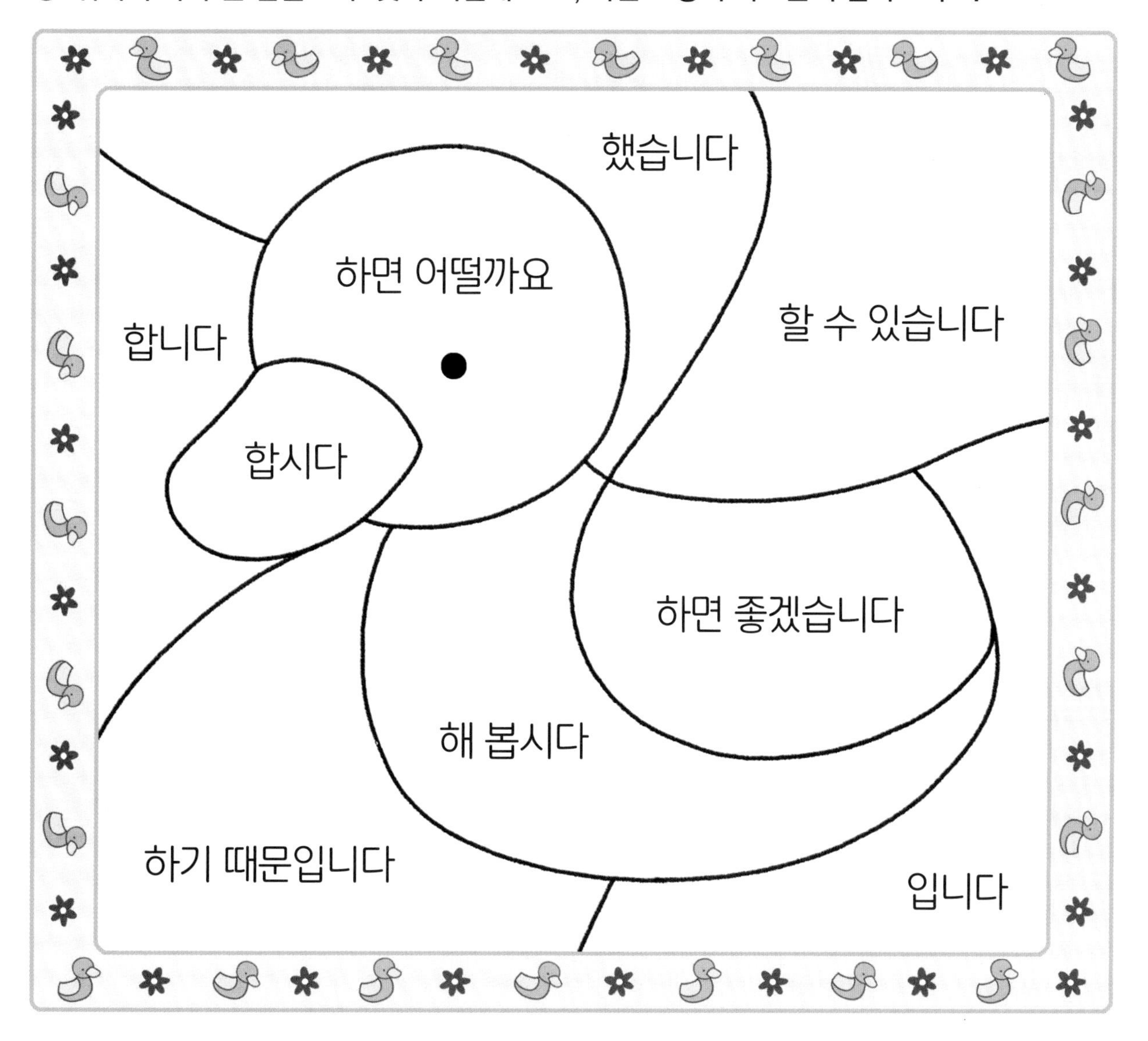

제안하는 내용 쓰기

● 다음 만화를 읽고, 민서가 쓴 제안하는 글에 들어갈 제안하는 내용을 쓰세요.

쉬는 시간

어휘 풀이

▼**쪽지**|종이 지 紙| 어떤 내용의 글을 적은 종이쪽. ㉠ 엄마께 고마운 마음을 전하는 쪽지를 써서 드렸다.

▼**부산스럽네** 보기에 급하게 서두르거나 시끄럽게 떠들어 어수선한 데가 있네.
예 이삿날이라 그런지 가족들이 모두 부산스럽네.

▼**집중**|모을 집 集, 가운데 중 中| 한 가지 일에 모든 힘을 쏟아부음.
예 책 내용이 너무 흥미진진해서 정신을 집중했다.

▶정답 및 해설 10쪽

낱말 쓰기

1단계 다음은 민서가 친구들에게 제안하는 내용을 정리한 것이에요. 빈칸에 들어갈 말을 보기 에서 각각 골라 쓰세요.

보기

방해 집중 친구

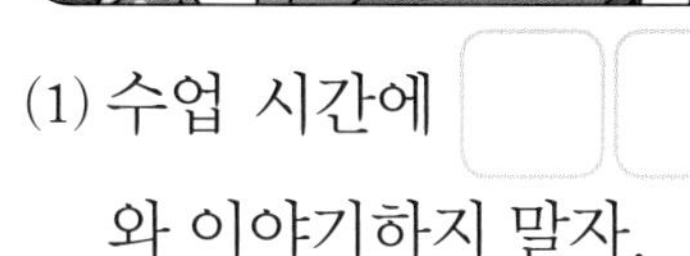

(1) 수업 시간에 ☐☐와 이야기하지 말자.

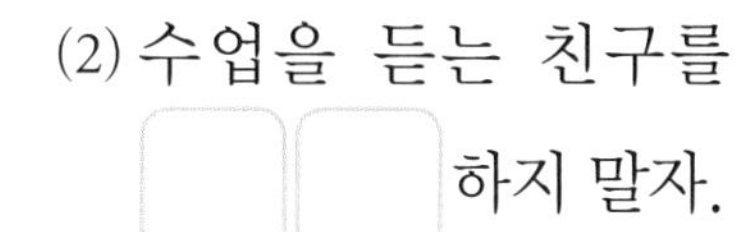

(2) 수업을 듣는 친구를 ☐☐하지 말자.

(3) 수업 시간에는 수업에 ☐☐하자.

문장 쓰기

2단계 1에서 답한 민서가 제안하는 내용을 두 문장으로 정리하여 쓰세요.

❶ 수업 시간에 ____________ 하거나, 수업을 듣는 ____________ 하지 맙시다.

❷ 수업 시간에는 ____________ 해 봅시다.

한 편 쓰기

3단계 2에서 쓴 문장을 넣어 제안하는 글에 들어갈 제안하는 내용을 완성하세요.

	❶수	업	V	시	간	에	V				V
						,	수	업	을	V	
	V				V					V	맙
시	다	.	❷수	업	V	시	간	에	는	V	
		V				V					

▶ 정답 및 해설 10쪽

1 낱말 고쳐쓰기

다음 두 낱말의 뜻과 예를 보고, 문장의 밑줄 그은 낱말을 각각 바르게 고쳐 쓰세요.

피다	꽃봉오리 따위가 벌어지다. 예 봄이 되어 개나리가 피다.
펴다	접히거나 개킨 것을 젖히어 벌리다. 예 접었던 우산을 펴다.

(1) 교과서를 피다.

피 다 → ☐☐

(2) 장미꽃이 펴다.

펴 다 → ☐☐

2 문장 고쳐쓰기

다음 친구가 고쳐 쓴 문장 과 같이 알맞은 말을 넣어 문장을 고치고 따라 쓰세요.

친구가 고쳐 쓴 문장

여러분, 수학 시간이예요.

↓

여러분, 수학 시간이에요.

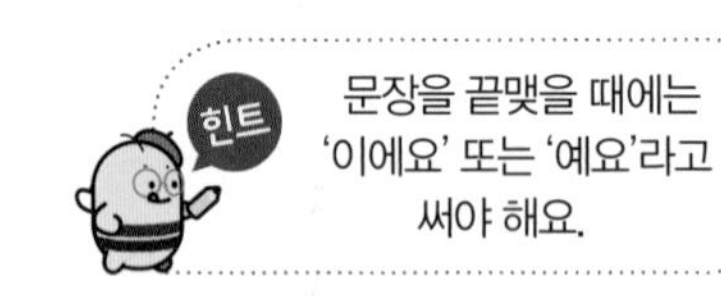

힌트
문장을 끝맺을 때에는 '이에요' 또는 '예요'라고 써야 해요.

↓

	친	구	들	에	게	V	쓴	V	제	안	하
는	V	글				.				

똑똑한

하루 글쓰기 마무리

내 생각 쓰기로 하루 마무리

▶정답 및 해설 11쪽

● 친구가 쓴 문장 처럼, 다음 표현을 넣어 그림에 어울리는 제안하는 내용을 각각 쓰세요.

친구가 쓴 문장

~하면 좋겠습니다.

	마	을	∨	사	람	들	이	∨	함
께	∨	길	거	리	를	∨	청	소	하
면	∨	좋	겠	습	니	다	.		

2
주

❶

~해 봅시다.

❷

~합시다.

❸

~하면 어떨까요?

제안하는 내용에 쓸 수 있는 표현을 생각하며
그림에 어울리는 제안을 써 보세요.

3일 제안하는 까닭 쓰기

제안하는 내용에 맞게 제안하는 까닭을 써라!

제안하는 글에는 제안하는 내용과 함께 제안하는 까닭을 써야 해요.

왜 그런 제안을 했는지, 제안한 내용대로 했을 때 무엇이 더 나아지는지 써요.

제안하는 까닭을 쓸 때에는 '왜냐하면 ~하기 때문입니다.', '만약 ~하면 ~할 수 있습니다.' 등의 표현을 사용할 수 있어요.

▶정답 및 해설 11쪽

● 사다리 타기를 하여 도착한 곳의 낱말을 따라 쓰며, 제안하는 까닭을 쓰는 방법을 알아보아요.

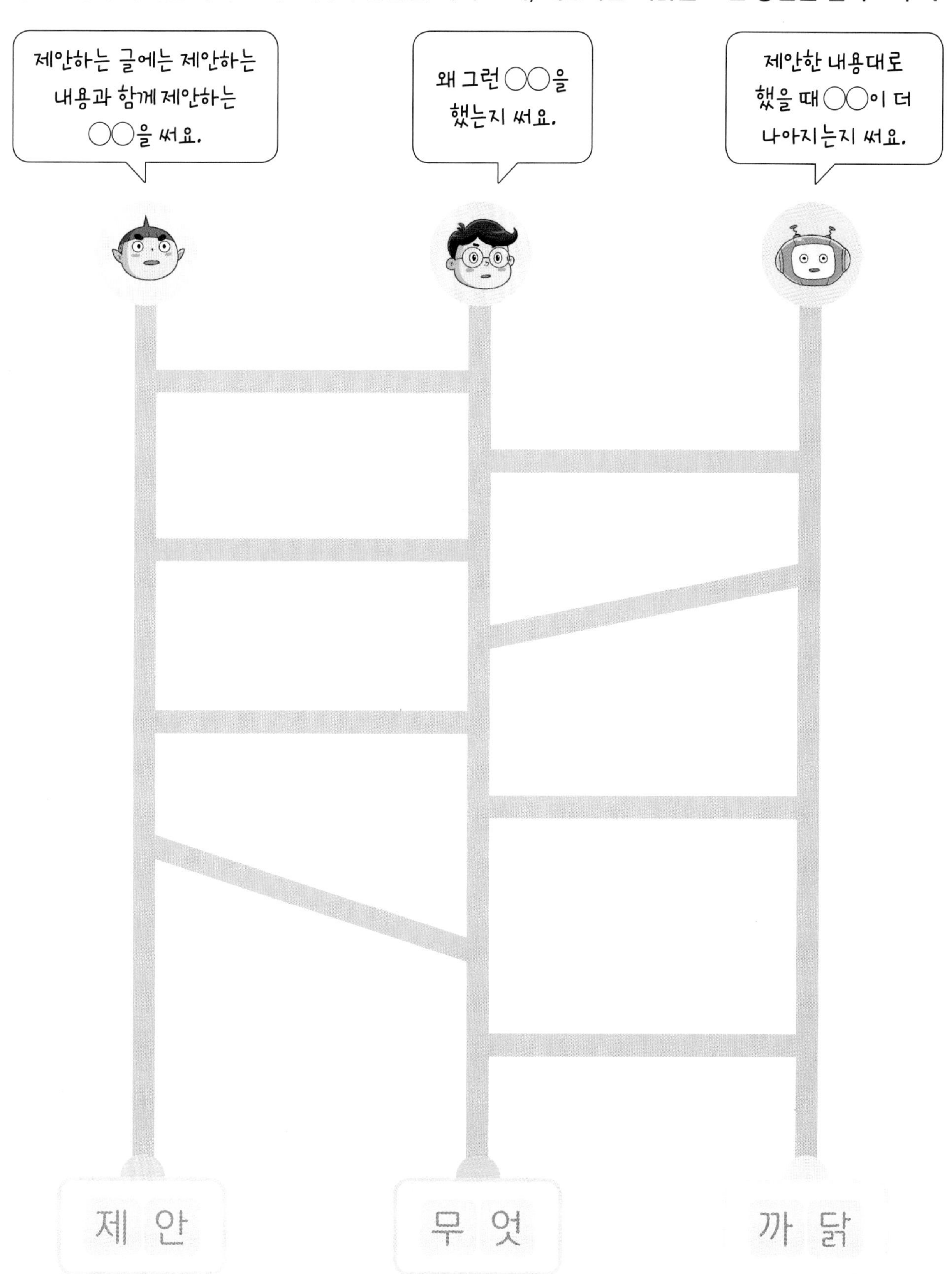

제안하는 글에는 제안하는 내용과 함께 제안하는 ◯◯을 써요.
왜 그런 ◯◯을 했는지 써요.
제안한 내용대로 했을 때 ◯◯이 더 나아지는지 써요.
제 안
무 엇
까 닭

3일 제안하는 까닭 쓰기

◉ 달래와 밤톨이의 대화를 읽고, 달래가 제안하는 내용에 어울리는 제안하는 까닭을 정리해 쓰세요.

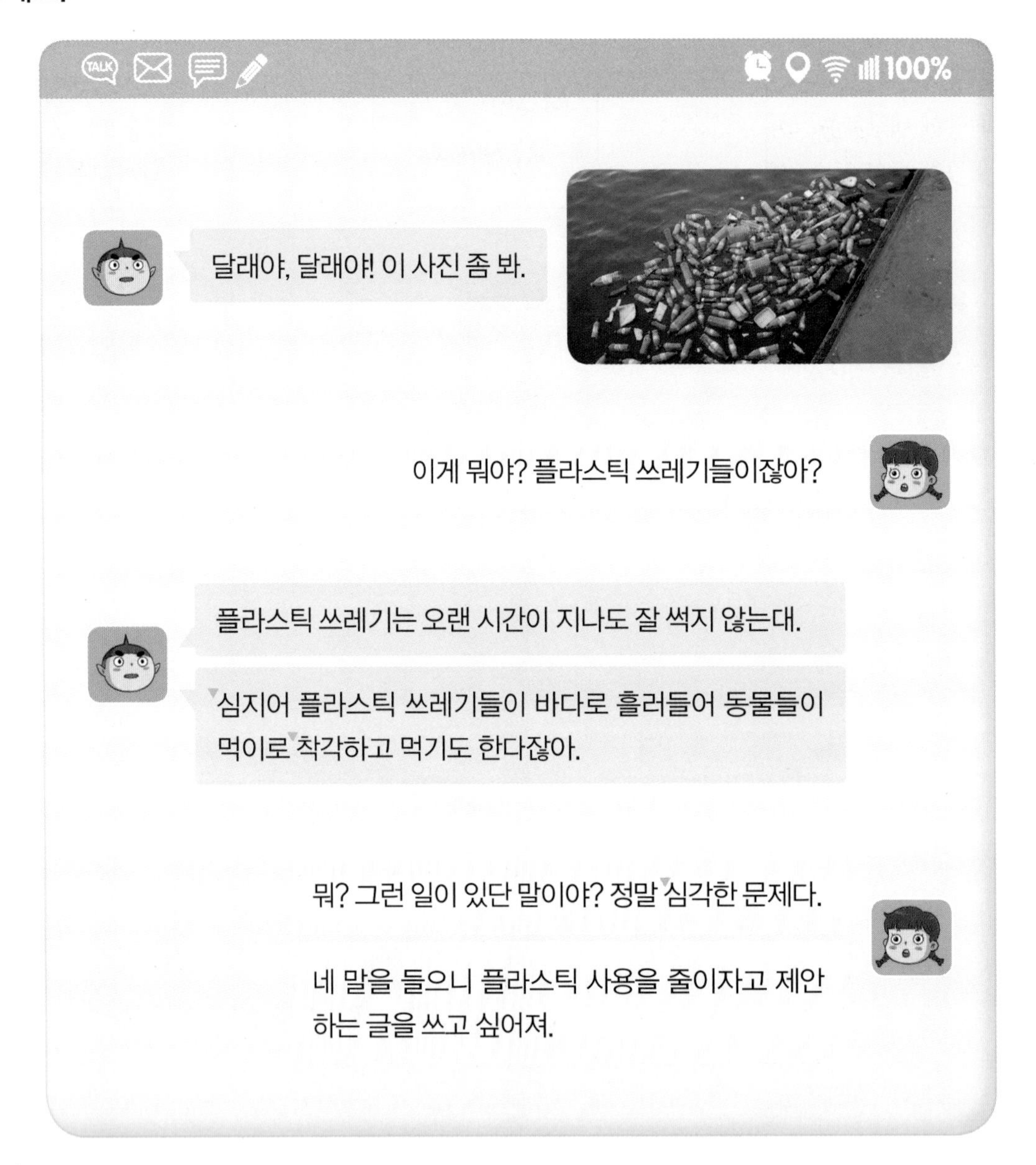

TALK
100%
달래야, 달래야! 이 사진 좀 봐.
이게 뭐야? 플라스틱 쓰레기들이잖아?
플라스틱 쓰레기는 오랜 시간이 지나도 잘 썩지 않는대.
심지어 플라스틱 쓰레기들이 바다로 흘러들어 동물들이 먹이로 착각하고 먹기도 한다잖아.
뭐? 그런 일이 있단 말이야? 정말 심각한 문제다.
네 말을 들으니 플라스틱 사용을 줄이자고 제안하는 글을 쓰고 싶어져.

어휘 풀이

▼ **심지어**|심할 심 甚, 이를 지 至, 어조사 어 於| 더욱 심하다 못하여 나중에는.

예) 심지어 가족들도 그를 손가락질했다.

▼ **착각**|섞일 착 錯, 깨달을 각 覺| 어떤 사물이나 사실을 실제와 다르게 알거나 생각함.

예) 지아의 이름을 지하로 착각했다.

▼ **심각**|깊을 심 深, 새길 각 刻|**한** 상태나 정도가 매우 깊고 중대한. 또는 절박함이 있는.

예) 아버지께서는 심각한 고민에 빠지셨다.

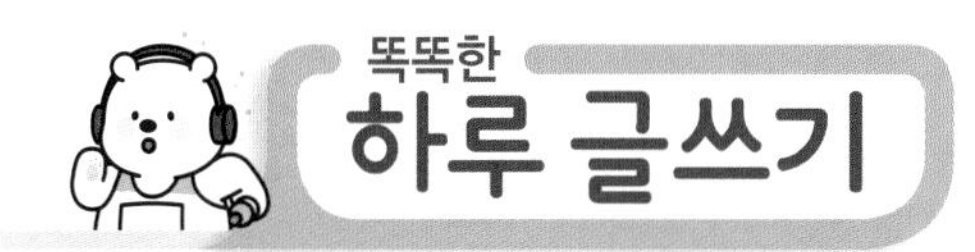

▶정답 및 해설 11쪽

낱말 쓰기

1단계 다음 달래가 제안하는 내용을 읽고, 제안하는 까닭으로 빈칸에 공통으로 들어갈 낱말을 각각 쓰세요.

- 왜냐하면 ㅍ ㄹ ㅅ ㅌ 쓰레기를 동물들이 먹이로 착각하고 먹기도 하기 때문입니다.
- ㅍ ㄹ ㅅ ㅌ 쓰레기를 줄이면 동물들을 보호할 수 있습니다.

2주

문장 쓰기

2단계 1에서 답한 제안하는 까닭을 두 문장으로 정리하여 쓰세요.

❶ 왜냐하면 동물들이 먹기도 하기 때문입니다.

❷ 줄이면 할 수 있습니다.

한 편 쓰기

3단계 2에서 쓴 문장을 넣어 제안하는 글에 들어갈 제안하는 까닭을 완성하세요.

플라스틱 사용을 줄입시다. ❶ ______________________________
______________________________ 때문입니다.
❷ ______________________________
______________________________ 있습니다.

▶정답 및 해설 11쪽

1 낱말 고쳐쓰기

다음 두 낱말의 뜻과 예를 보고, 문장의 밑줄 그은 낱말을 각각 바르게 고쳐 쓰세요.

섞다	두 가지 이상의 것을 한데 합치다. 예 물과 설탕을 섞어 설탕물을 만들었다.
썩다	음식물이나 자연물이 세균에 의해 변화되어 상하거나 나쁘게 변하다. 예 음식물 쓰레기가 썩어 악취가 난다.

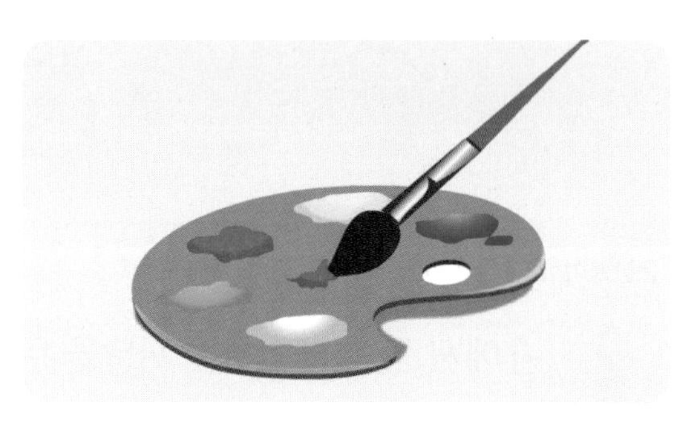

(1) 플라스틱 쓰레기는 오랜 시간이 지나도 섞지 않는다.

섞 지 → □□

(2) 여러 가지 색깔의 물감을 썩어 보았다.

썩 어 → □□

2 문장 고쳐쓰기

다음 밑줄 그은 부분을 바르게 고치고 문장을 따라 쓰세요.

플라스틱 쓰레기들이 바다로 흘러드러 동물들이 먹이로 착각하고 먹기도 한다자나.

	플	라	스	틱	V	쓰	레	기	들	이	V
바	다	로	V					V	동	물	들
이	V	먹	이	로	V	착	각	하	고	V	먹
기	도	V					.				

▶정답 및 해설 12쪽

보기 의 내용 중 제안하는 까닭이 잘 드러난 문장을 한 가지 골라 제안하는 글을 완성해 보세요.

무단 횡단을 하지 맙시다

최근 하굣길에 학교 앞에서 무단 횡단을 하는 친구들이 많습니다. 조금만 걸어가면 횡단보도가 있는데도 귀찮다는 이유로 많은 친구들이 무단 횡단을 하다 위험한 상황을 겪고는 합니다.

우리 학교 친구들이 무단 횡단을 하지 않으면 좋겠습니다.

보기

교통질서를 잘 지키면 친구들에게 위험한 상황이 줄어들 것입니다.

무단 횡단을 하지 않으면 안전한 하굣길을 만들 수 있을 것입니다.

힌트 두 가지 내용 중 마음에 드는 것을 골라 보세요. 어떤 내용을 넣어도 답이 될 수 있어요.

제목 쓰기

제안하는 내용이 잘 드러나게 제목을 써라!

제안하는 글에는 제안하는 내용이 잘 드러나게 제목을 붙여야 해요.
제목은 미리 정해 놓고 쓸 내용을 정리할 수도 있고,
쓸 내용을 정리하고 난 뒤에 붙일 수도 있답니다.

똑똑한 하루 글쓰기 미리 보기

▶정답 및 해설 12쪽

● 그림에 맞는 퍼즐 모양을 찾아 ◯표를 하고, 제안하는 글에 제목을 붙이는 방법에 맞게 빈칸에 들어갈 낱말을 알아보아요.

허락

○○하는 내용이
잘 드러나게
제목을 붙인다.
편의점

제안

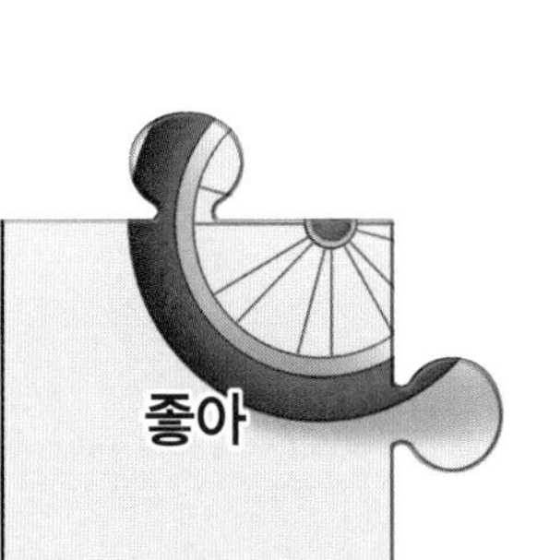

좋아

제안하는 글에 제목을 쓰는 방법을 생각하며 다음 문장을 따라 쓰세요.

	인	도	에	서	V	자	전	거	를	V	타
지	V	말	자								

4일 제목 쓰기

● 밤톨이와 판판이 쓴 다음 두 제안하는 글을 읽고, ㉠ 과 ㉡ 안에 들어갈 제목을 각각 쓰세요.

㉠

추운 날씨에 실내 곳곳에서는 ▾난방을 합니다. 그런데 겨울에도 실내에서 반팔을 입어도 될 만큼 따뜻한 곳들이 있습니다. 난방을 지나치게 하면 에너지가 낭비됩니다. 또한, 바깥 온도와 실내 온도가 크게 차이 나면 오히려 감기에 걸리기 쉽습니다.

우리 함께 겨울철 ▾적정 실내 온도를 유지하면 어떨까요? 겨울철에도 20도 정도의 적정 실내 온도를 유지하면 에너지를 절약할 수 있고 건강도 지킬 수 있습니다.

㉡

요즘 우리 반 친구들 사이에 별명을 지어 다른 친구들을 놀리는 일이 많습니다. 처음에는 장난으로 시작한 별명 때문에 속상해하는 친구들이 점점 많아지고 있습니다.

별명을 지어 친구들을 놀리지 않았으면 좋겠습니다. 친구 사이에 장난스러운 별명을 사용하지 않으면, 함께 대화하는 친구의 기분이 더 좋아질 것입니다. 친구의 기분을 생각하는 고운 말 사용이 우리 반 분위기를 더욱 화목하게 만들 것입니다.

어휘 풀이

▾**난방** | 따뜻할 난 暖, 방 방 房 | 실내의 온도를 높여 따뜻하게 하는 일. ㉮ 난방을 해서 방이 따뜻해졌다.

▾**적정** | 갈 적 適, 바를 정 正 | 알맞고 바른 정도. ㉮ 시험 난이도를 적정 수준으로 출제했다.

▶정답 및 해설 12쪽

낱말 쓰기

1 단계 밤톨이와 판판이 제안하는 내용을 읽고, 제안하는 글의 제목으로 빈칸에 알맞은 낱말을 보기 에서 각각 골라 쓰세요.

보기			
실내 온도	실외 온도	별명	이름

우리 함께 겨울철 적정 실내 온도를 유지하면 어떨까요?
별명을 지어 친구들을 놀리지 않았으면 좋겠습니다.

(1) 겨울철 적정 ☐☐ ☐☐를 유지하자

(2) ☐☐을 지어 친구들을 놀리지 말자

문장 쓰기

2 단계 1에서 답한 내용을 바탕으로 ㉠과 ㉡ 안에 들어갈 제안하는 글의 제목을 각각 정리하여 쓰세요.

❶ 겨울철 하자

❷ 놀리지 말자

▶정답 및 해설 12쪽

1 낱말 고쳐쓰기

다음 친구가 쓴 문장 에서 냉방 을 알맞은 낱말로 고쳐 쓰려고 합니다. 보기 에서 냉방 과 뜻이 반대인 낱말을 골라 고쳐 쓰세요.

보기

- 나방: 나비와 비슷하나 몸이 더 통통하고 몸에 비늘 모양의 분비물이 덮여 있는 곤충.
- 난방: 실내의 온도를 높여 따뜻하게 하는 일.
- 예방: 질병이나 재해 따위가 일어나기 전에 미리 대처하여 막는 일.

친구가 쓴 문장

추운 날씨에 실내 곳곳에서는 냉방 을 합니다.

↓

추운 날씨에 실내 곳곳에서는 ☐☐을 합니다.

2 문장 고쳐쓰기

다음 문장에서 밑줄 그은 부분의 띄어쓰기를 알맞게 고쳐 쓰고, 문장을 따라 쓰세요.

겨울에도 실내에서 반팔을 입어도 될만큼 따뜻한 곳들이 있습니다.

↓

	겨	울	에	도	V	실	내	에	서	V	반
팔	을	V	입	어	도	V		V			V
따	뜻	한	V	곳	들	이	V	있	습	니	다

.

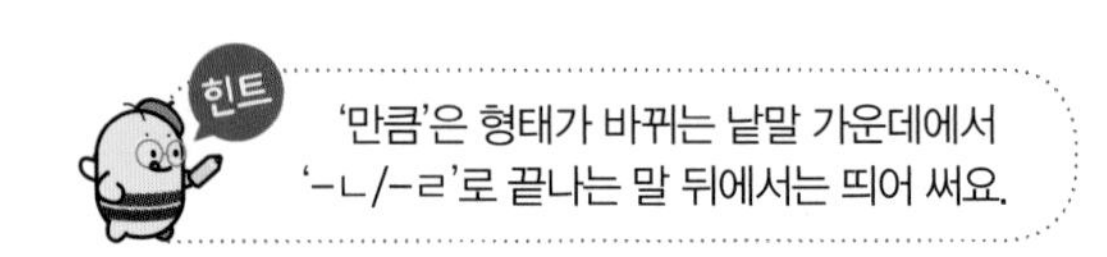

힌트
'만큼'은 형태가 바뀌는 낱말 가운데에서 '-ㄴ/-ㄹ'로 끝나는 말 뒤에서는 띄어 써요.

▶정답 및 해설 12쪽

다음 만화를 읽고, 가연이가 제안하는 글을 쓸 때에 알맞은 글의 제목을 쓰세요.

제목

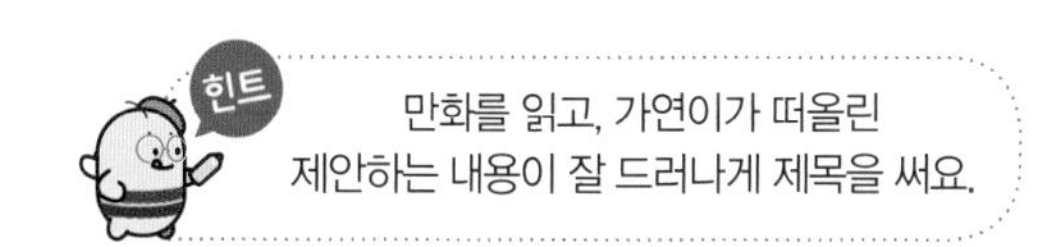

만화를 읽고, 가연이가 떠올린 제안하는 내용이 잘 드러나게 제목을 써요.

5일 제안하는 글 쓰기

판판
난 내 대나무의 잎을 훔쳐 먹지 말라고 제안할 거야.
밤톨
그건 글로 안 써도 될 것 같은데…….
기찬
그래, 판판. 대나무의 잎은 너만 먹는다고.
오늘은 제안하는 글 한 편을 써 봐요. 저는 전동 킥보드를 안전하게 타자는 제안을 하려고 해요.
입력

제안하는 글을 써라!

제안하는 글을 쓸 때에는 문제 상황, 제안하는 내용, 제안하는 까닭이 드러나게 쓰고, 제안하는 내용이 잘 드러나게 제목을 붙여요. 제안하는 글을 쓰면 문제 상황과 해결 방법을 알릴 수 있고, 더 좋은 쪽으로 일을 해결할 수 있어요.

▶정답 및 해설 13쪽

◉ 제안하는 글을 쓰는 방법에 맞게 빈칸에 알맞은 말을 쓰고, 퍼즐판에서 찾아 ○표를 하세요.

제안하는 글을 쓸 때에는 문제 상황, 제안하는 ❶ , 제안하는 까닭이 드러나게 써요.
제안하는 글을 쓰면 문제 상황과 ❷ 방법을 알릴 수 있어요.
미 술 이 해
내 용 바 결
슬 픈 나 쁜
좋 은 아 유

제안하는 글을 쓰면 더 ❸ 쪽으로 일을 해결할 수 있어요.

5일 제안하는 글 쓰기

◉ 다음 일기를 읽고, 제안하는 글을 완성해 쓰세요.

20○○년 4월 1일 목요일	날씨: 햇볕이 쨍쨍
제목: 급식실에 가는 차례	

4월이 시작되었다. 설레는 마음으로 학교에 갔다. 오늘부터는 점심시간에 급식을 더 빨리 먹을 수 있을 줄 알았기 때문이다. 그런데 4월이 되었지만 여전히 우리 반이 ▼꼴찌로 밥을 먹는다고 했다. 선생님께 여쭈어보니 올해는 계속 1반부터 급식실에 간다고 하셨다. 그러면 끝 반인 우리 반은 항상 점심을 가장 늦게 먹게 된다. 점심을 늦게 먹으니 밥을 먹고 난 뒤에 ▼양치를 할 시간도 ▼부족하고, 친구들과 함께 시간을 보내기도 어렵다.

1반부터만 급식을 먹지 말고, 한 달에 한 번씩 반별로 급식실에 가는 차례를 바꾸었으면 좋겠다. 선생님께 이 일에 대해서 제안하는 글을 써서 드려야겠다.

어휘 풀이

▼**꼴찌** 차례의 맨 끝. ㉠ 달리기에서 꼴찌를 하더라도 끝까지 달릴 것이다.

▼**양치** 이를 닦고 물로 입 안을 가심. ㉠ 군것질을 한 후에는 반드시 양치를 해야 한다.

▼**부족** |아닐 부 不, 발 족 足| 필요한 양이나 기준에 미치지 못해 충분하지 않음.
㉠ 돈이 부족해 옷을 사지 못했다.

▶정답 및 해설 13쪽

낱말 쓰기

1단계 다음 그림을 보고, 문제 상황으로 알맞은 낱말을 빈칸에 각각 쓰세요.

1반부터 급식실에 가서 우리 반이
항상 가장 늦게 점심을 먹어.

(1) 점심시간에 계속 1반부터 ㄱ ㅅ ㅅ 에 갑니다.

(2) 끝 반인 우리 반은 항상 점심을 가장 ㄴ ㄱ 먹게 됩니다.

문장 쓰기

2단계 1에서 답한 문제 상황에 알맞은 제안하는 내용을 두 문장으로 정리하여 쓰세요.

보기

급식을 먹지 운동을 하지 급식실에 가는 운동장을 쓰는

❶ 1반부터만 말았으면 좋겠습니다.

❷ 한 달에 한 번씩 반별로 차례를 바꿉시다.

한 편 쓰기

3단계 2에서 답한 제안하는 내용과 함께 쓸 수 있는 제안하는 까닭을 보기 에서 골라 쓰세요.

보기

반별로 돌아가면서 급식실에 간다면 친구들의 불만이 줄어들 것입니다.

한 달에 한 번씩 급식실에 가는 차례를 바꾸면
모든 반이 공평하게 점심시간을 사용할 수 있습니다.

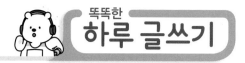

▶정답 및 해설 13쪽

1

낱말 고쳐쓰기

다음 밑줄 그은 낱말을 바르게 고쳐 쓰세요.

<u>설레이는</u> 마음으로 학교에 갔다.

↓

[　　　　] 마음으로 학교에 갔다.

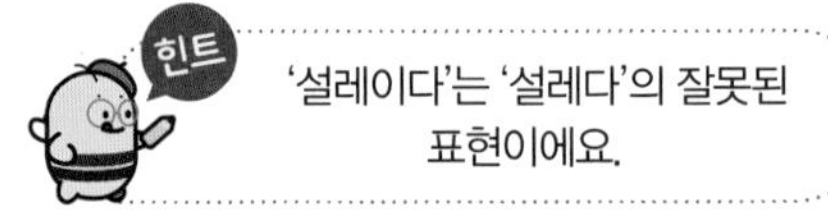

힌트
'설레이다'는 '설레다'의 잘못된
표현이에요.

2

문장 고쳐쓰기

다음 친구가 고쳐 쓴 문장 과 같이 알맞은 말을 넣어 문장을 고치고 따라 쓰세요.

친구가 고쳐 쓴 문장

선생님<u>에게</u> 제안하는 글을 써서 <u>주다</u>.

↓

선생님<u>께</u> 제안하는 글을 써서 <u>드리다</u>.

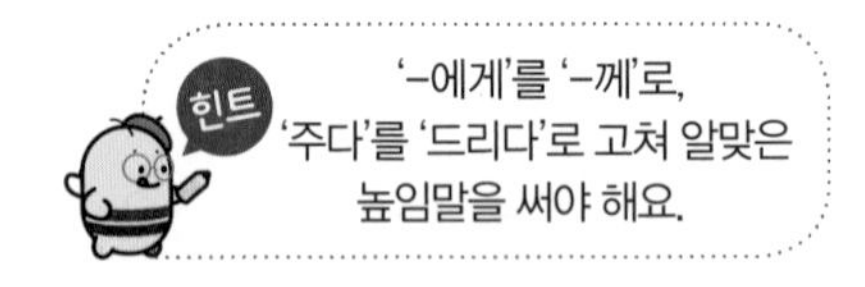

'-에게'를 '-께'로,
'주다'를 '드리다'로 고쳐 알맞은
높임말을 써야 해요.

	아	버	지	에	게	V	따	뜻	한	V	차
를	V	주	다	.							

↓

	아	버	지		V	따	뜻	한	V	차	를
			.								

V

▶정답 및 해설 13쪽

다음 문제 상황 중 한 가지를 골라, 제안하는 글을 한 편 써 보세요.

문제 상황 1 층간 소음이 너무 심해 가족들이 모두 힘들어하고 있다.

문제 상황 2 반려동물을 산책시킬 때 목줄을 사용하지 않는 사람들이 많다.

제목:

문제 상황과 제안하는 내용, 제안하는 까닭이 잘 드러나게 쓰고, 제목도 붙여 보세요.

2주 특강

생활 어휘 다음 만화를 보며 속담의 뜻을 알아보고, 상황에 맞게 속담을 써 보세요.

고양이 목에 방울 달기

▶정답 및 해설 14쪽

속담의 뜻을 알아봐요!

고양이 목에 방울 달기

이 속담은

"실제로 하기 어려운 것을 괜히 의논함."이라는 뜻이랍니다.

이제 이 속담을 넣어 상황에 맞게 써 볼까요?

선생님께 수학 공부는 하기 싫다고 말씀드리기로 했지만 아무도 나서지 못하는 것을 보니 "□□□ □□ □□□ □□"라는 말이 생각났다.

● 달래가 바다에 떨어진 플라스틱 쓰레기들을 건지고 있어요. 달래가 플라스틱 쓰레기들을 모두 건질 수 있도록 빈칸의 낱말을 따라 쓰고, 빈칸에 알맞은 낱말을 줄을 따라가 바르게 이어 보세요.

창의 2주에 나왔던 **낱말과 그 뜻**을 익히며 줄을 바르게 이어 봅니다.

▶정답 및 해설 14쪽

◎ 수아가 별빛 공원에 떨어진 쓰레기를 모두 주우려고 해요. 별빛 공원의 입구부터 출구까지 길을 찾아가며 모든 쓰레기를 주우려고 할 때, 빈 부분에 들어갈 알맞은 코딩 블록에 ◯표를 하세요.

코딩 명령

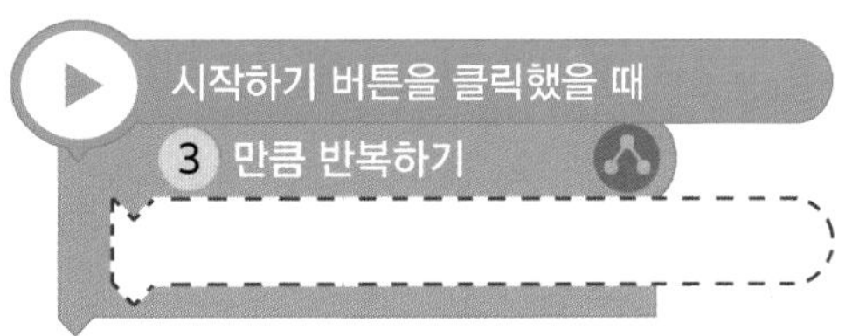

(1) 아래쪽으로 1칸, 오른쪽으로 1칸 이동하기 (　　　　)

(2) 위쪽으로 1칸, 오른쪽으로 1칸 이동하기 (　　　　)

코딩 쓰레기를 모두 주우며 이동하려면 **코딩 블록을 어떻게 조합**하면 될지 생각해 봅니다.

◉ 민서의 제안하는 글을 읽은 친구들이 수업에 집중하고 있어요. 선생님의 말씀을 읽고, 빈칸에 알맞은 숫자를 각각 써서 곱셈식을 만들고 답을 구해 보세요.

민서가 만들어 본 곱셈식은 다음과 같아요.

우리 반 학생 수		한 사람이 가진 사탕 개수		총 사탕 개수
	×		=	

융합 국어+수학

수학 수업 시간에 하시는 선생님의 말씀을 읽고, **(두 자릿수)×(두 자릿수)의 곱셈**을 해 봅니다.

▶정답 및 해설 14쪽

다음 글을 읽고, 겨울철 실내의 모습을 그린 두 그림에서 다른 부분을 다섯 군데 찾아 ◯표를 하세요.

겨울철 적정 실내 온도를 지키는 방법 예

- 실내 온도는 18~20도 정도를 유지합니다.
- 반팔보다는 긴팔 소매의 옷을 입습니다.
- 양말을 신거나 담요 등을 덮어 몸을 따뜻하게 합니다.

창의

겨울철 적정 실내 온도를 유지하려면 어떻게 해야 하는지 떠올리며 두 그림에서 다른 부분을 모두 찾아봅니다.

2주  누구나 100점 테스트

1 제안하는 글에 대해 알맞게 말한 친구의 이름을 쓰세요.

'무엇이 무엇이다'의 형식으로 사물을 설명하기 위해 쓴 글이야.
달래

어떤 문제를 해결하기 위해 다른 사람에게 어떤 일을 하자고 자신의 의견과 그 까닭을 이야기하려고 쓴 글이야.
판판

(　　　　　　　　)

2 다음 그림에 나타난 문제 상황을 바르게 쓴 것에 ○표를 하세요.

(1) 계단에서 위험하게 뛰는 친구들이 많습니다. (　　)

(2) 사람들이 함부로 버린 쓰레기들이 공원에 마구 흩어져 있어 별빛 공원이 지저분합니다. (　　)

3 다음 문제 상황을 보고 제안하는 내용을 쓸 때, 알맞은 것에 ○표를 하세요.

수업 시간

(1) 수업 시간에는 수업에 집중했으면 좋겠습니다. (　　)

(2) 버스에서 할아버지, 할머니께 자리를 양보해 봅시다. (　　)

글쓰기

4 그림에 알맞은 말을 보기 에서 골라 제안하는 내용을 완성하고 문장을 따라 써 보세요.

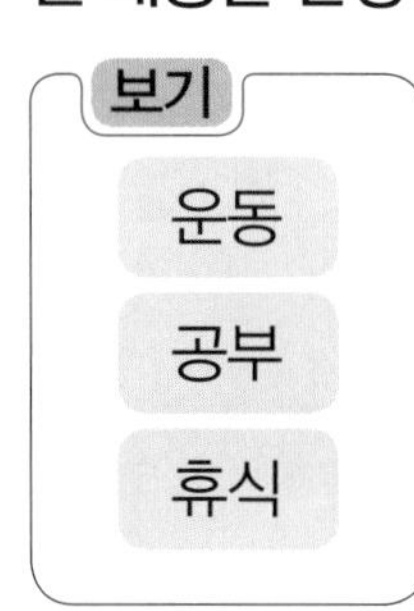

	우	리	V	모	두	V	꾸
준	히	V			을	V	하
면	V	어	떨	까	요	?	

5 다음 제안하는 내용에 대한 제안하는 까닭으로 알맞은 것에 ○표를 하세요.

플라스틱 사용을 줄입시다.

(1) 왜냐하면 플라스틱 빨대 사용은 자연을 보호하는 첫걸음이기 때문입니다. (　　)

(2) 왜냐하면 플라스틱 쓰레기를 동물들이 먹이로 착각하고 먹기도 하기 때문입니다. (　　)

▶정답 및 해설 15쪽

6 제안하는 내용과 제안하는 까닭에 어울리는 표현을 각각 선으로 이으세요.

(1) 제안하는 내용 • • ① '왜냐하면 ~하기 때문입니다.', '만약 ~하면 ~할 수 있습니다.'

(2) 제안하는 까닭 • • ② '~해 봅시다.', '~하면 어떨까요?'

글쓰기

7 다음 문제 상황을 읽고, 알맞은 낱말을 보기 에서 골라 제안하는 내용을 완성하고 따라 써 보세요.

최근 하굣길에 학교 앞에서 무단 횡단을 하는 친구들이 많습니다. 조금만 걸어가면 횡단보도가 있는데도 귀찮다는 이유로 많은 친구들이 무단 횡단을 하다 위험한 상황을 겪고는 합니다.

보기

무단 횡단 준비 운동

	우	리	V	학	교	V	친
구	들	이	V			V	
	을	V	하	지	V	않	으
면	V	좋	겠	습	니	다	.

[8~10] 다음 글을 읽고, 물음에 답하세요.

선생님께 여쭈어보니 올해는 계속 1반부터 급식실에 간다고 하셨다. 그러면 끝 반인 우리 반은 항상 점심을 가장 늦게 먹게 된다. 점심을 늦게 먹으니 밥을 먹고 난 뒤에 양치를 할 시간도 부족하고, 친구들과 함께 시간을 보내기도 어렵다.

1반부터만 급식을 먹지 말고, 한 달에 한 번씩 반별로 급식실에 가는 차례를 바꾸었으면 좋겠다. 선생님께 이 일에 대해서 [㉠] 을/를 써서 드려야겠다.

8 이 글에 나타난 문제 상황을 바르게 말한 친구의 이름을 쓰세요.

글봇: 현장 체험학습을 우리 반 친구들이 원하지 않는 장소로 간다.
기찬: 점심시간에 계속 1반부터 급식실에 가서 끝 반인 우리 반은 항상 점심을 가장 늦게 먹게 된다.

(　　　　　　　)

글쓰기

9 다음은 제안하는 내용을 쓴 것입니다. 빈칸에 알맞은 낱말을 글에서 찾아 문장을 완성하세요.

• 한 달에 한 번씩 반별로 [ㄱ][ㅅ][ㅅ] 에 가는 차례를 바꿉시다.

10 [㉠] 안에 들어갈 글의 종류로 알맞은 것에 ○표를 하세요.

(가족 신문 기사 , 제안하는 글)

3주

3주에는 무엇을 공부할까? ①

3 주

온라인 글을 써 보자!

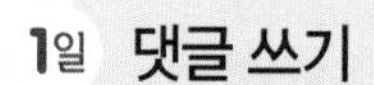

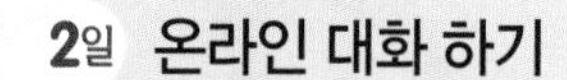

1일 댓글 쓰기
2일 온라인 대화 하기
3일 SNS에 글 쓰기
4일 이메일 쓰기
5일 게시판에 공지 글 쓰기

3주에는 무엇을 공부할까? ❷

1-1 댓글에 대한 설명으로 알맞은 것을 두 가지 찾아 ○표를 하세요.

(1) 전하고자 하는 내용을 종이에 간단하게 쓴 글이다. (　　)

(2) 인터넷에 다른 사람이 쓴 글을 읽고 짤막하게 답하여 올리는 글이다. (　　)

(3) 글을 읽고 든 생각이나 느낌을 그러한 생각이나 느낌이 든 까닭이 잘 드러나게 쓰면 된다. (　　)

1-2 다음은 어떤 온라인 글에 대한 설명인지 알맞은 것을 골라 따라 쓰세요.

댓 글　　　　쪽 지

▶정답 및 해설 16쪽

2-1 다음 중 이메일에 대한 설명으로 알맞지 않은 것에 ×표를 하세요.

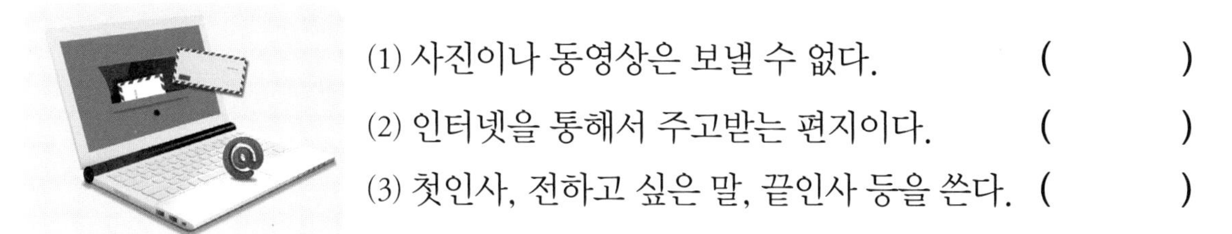

(1) 사진이나 동영상은 보낼 수 없다. (　　)

(2) 인터넷을 통해서 주고받는 편지이다. (　　)

(3) 첫인사, 전하고 싶은 말, 끝인사 등을 쓴다. (　　)

2-2 다음 중 친구에게 보낼 이메일에 대해 알맞게 말한 친구의 이름을 쓰세요.

(　　　　　)

3 주

1일 댓글 쓰기

달래
내 글에 사람들이 댓글을 달아 주면 기분이 좋아.
기찬
댓글을 보면 사람들이 글을 읽고 어떤 생각이나 느낌을 가졌는지 알 수 있어.
밤톨
하지만 기분을 상하게 하는 댓글이 달리면 하루 종일 기분이 안 좋아.
여러분, 제가 쓴 글에 정성껏 댓글을 남겨 줘서 고마워요.
입력

인터넷에 다른 사람이 쓴 글에 댓글을 써라!

인터넷에 다른 사람이 쓴 글을 읽고 짤막하게 답하여 올리는 글을 댓글이라고 해요.
글을 읽고 어떤 생각이나 느낌이 들었는지,
그러한 생각이나 느낌이 든 까닭이 무엇인지 잘 드러나게 쓰면 돼요.
글과 상관없는 내용이나 상대의 기분을 상하게 하는 댓글을 달지 않도록 주의해요.

똑똑한 하루 글쓰기 미리 보기

▶정답 및 해설 16쪽

◉ 인터넷에 다른 사람이 쓴 글에 댓글을 쓰는 방법에 맞게 빈칸에 알맞은 말을 쓰고, 그 말을 퍼즐판에서 찾아 ◯표를 하세요.

인터넷에 다른 사람이 쓴 글을 읽고 짤막하게 답하여 올리는 글을 ❶ 댓 글 이라고 해요.

글을 읽고 어떤 생각이나 느낌이 들었는지, 그러한 생각이나 느낌이 든 ❷ ______ 이 무엇인지 잘 드러나게 쓰면 돼요.

글과 상관없는 내용이나 상대의 ❸ ______ 을 상하게 하는 댓글을 달지 않도록 주의해요.

1일 댓글 쓰기

● 다음 아라가 인터넷에 쓴 글을 읽고, 알맞은 댓글을 쓰세요.

우리 집 개를 소개할게

작성자 안아라 작성일 20○○.08.01 15:33 댓글 3 조회수 35

안녕, 얘들아. 오늘은 우리 집 개 리오를 ▾소개해 줄게.

리오는 비숑 프리제라는 종류의 개야. 비숑 프리제라는 이름은 프랑스어로 '곱슬곱슬한 털'을 뜻한다고 해. 그 이름대로 하�고 곱슬곱슬한 털이 온몸을 덮고 있어서 안으면 무척 ▾폭신폭신해. 그래서 나는 리오를 안아 주는 것을 좋아해.

리오는 무척 ▾활발한 개야. 그래서 하루에 한 번씩은 꼭 산책을 시켜 줘야 해. 귀찮을 때도 있지만 리오와 함께 산책을 하고 나면 기분이 좋아져.

김초롱 리오 정말 귀엽다. 나도 개를 키우고 싶어.

전지한 [㉠]

이진수 ㉡누가 너희 집 개가 궁금하대?

로그인 후 사용 가능합니다. 댓글 작성

어휘 풀이

▾**소개**|이을 소 紹, 끼일 개 介| 잘 알려지지 않았거나, 모르는 사실이나 내용을 잘 알도록 하여 주는 설명. ㉔ 제가 좋아하는 작가를 소개하겠습니다.

▾**폭신폭신** 여럿이 다 또는 매우 포근하게 보드랍고 탄력이 있는 느낌. ㉔ 이 소파는 폭신폭신하다.

▾**활발**|살 활 活, 물 뿌릴 발 潑|**한** 생기 있고 힘차며 시원스러운. ㉔ 옆집에는 활발한 새끼 고양이가 있다.

▶정답 및 해설 16쪽

낱말 쓰기

1 단계 다음 그림을 보고, 아라가 쓴 글을 읽은 지한이가 어떤 생각을 했는지 빈칸에 알맞은 말을 각각 쓰세요.

(1) 나는 ㄱ ㅊ ㅇ ㅅ 개를 자주 산책시켜 주지 않는다.

(2) 개를 잘 돌보는 아라가 ㄷ ㄷ ㅎ ㄷ 는 생각이 들었다.

문장 쓰기

2 단계 **1**의 내용을 바탕으로 ㉠ 안에 들어갈 댓글을 한 문장으로 정리하여 쓰세요.

나는

주지 않는데, 개를 잘 돌보는 네가 이 들었어.

한 편 쓰기

3 단계 진수가 쓴 댓글 ㉡을 상대의 기분이 상하지 않도록 고쳐 쓰려고 해요. 보기 에서 마음에 드는 댓글을 골라 고쳐 써 보세요.

보기

리오의 모습을 더 보고 싶어. 사진을 더 올려 줄 수 있을까?

우리 집은 아파트라서 개를 키울 수 없는데, 정말 부럽다.

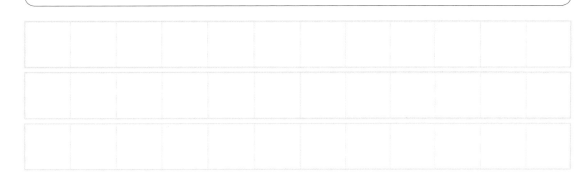

3주

1일 똑똑한 하루 글쓰기 고쳐쓰기

▶ 정답 및 해설 16쪽

1 낱말 고쳐쓰기

다음 밑줄 그은 말이 뜻하는 낱말을 보기 에서 골라 빈칸에 고쳐 써 보세요.

보기

맨몸　　온몸

곱슬곱슬한 털이 몸 전체를 덮고 있다.

↓

(1) □□

동생이 아무것도 입지 않은 몸으로 목욕을 하고 있다.

↓

(2) □□

몸 앞에 '온-'을 붙이면 '몸 전체'를 뜻하는 '온몸'이 되고, '맨-'을 붙이면 '아무것도 입지 않은 몸'을 뜻하는 '맨몸'이 돼요.

2 문장 고쳐쓰기

다음 친구가 쓴 문장 에서 밑줄 그은 부분의 띄어쓰기를 알맞게 고쳐 쓰고, 문장을 따라 쓰세요.

친구가 쓴 문장

나는 하루에 한번씩 개를 산책시켜 줘.

↓

	나	는	V	하	루	에	V				V
개	를	V	산	책	시	켜	V	줘	.		

'번'처럼 일의 횟수를 세는 단위는 앞의 수를 나타내는 말과 띄어 써요. 그리고 '씩'은 앞말과 붙여 써서 '그 수량이나 크기로 나뉘거나 되풀이됨'의 뜻을 더해 주는 말이에요.

똑똑한 하루 글쓰기 마무리

내 생각 쓰기로 하루 마무리

▶정답 및 해설 16쪽

◉ 다음 게시판에 올라온 글을 읽고, 글을 읽고 난 후의 생각이나 느낌이 잘 드러난 댓글을 보기 에서 한 가지 골라 빈칸에 써 보세요.

보기

주변에서 있을 법한 일을 쓴 이야기라 재미있을 것 같아.

이 글을 읽고 나도 앞으로는 친구를 놀리지 말아야겠다는 생각이 들었어.

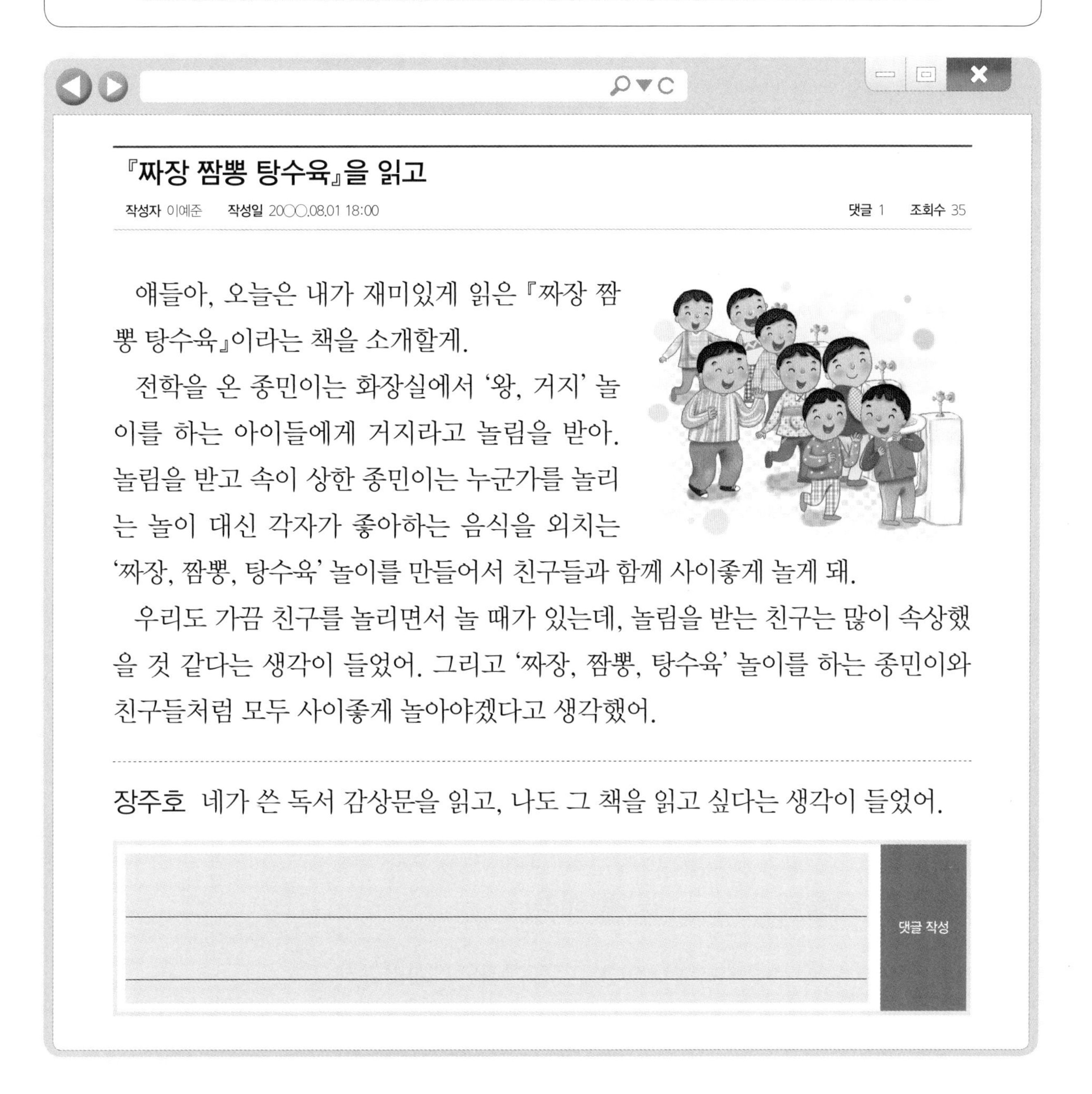

『짜장 짬뽕 탕수육』을 읽고

작성자 이예준 작성일 20○○.08.01 18:00 댓글 1 조회수 35

얘들아, 오늘은 내가 재미있게 읽은 『짜장 짬뽕 탕수육』이라는 책을 소개할게.

전학을 온 종민이는 화장실에서 '왕, 거지' 놀이를 하는 아이들에게 거지라고 놀림을 받아. 놀림을 받고 속이 상한 종민이는 누군가를 놀리는 놀이 대신 각자가 좋아하는 음식을 외치는 '짜장, 짬뽕, 탕수육' 놀이를 만들어서 친구들과 함께 사이좋게 놀게 돼.

우리도 가끔 친구를 놀리면서 놀 때가 있는데, 놀림을 받는 친구는 많이 속상했을 것 같다는 생각이 들었어. 그리고 '짜장, 짬뽕, 탕수육' 놀이를 하는 종민이와 친구들처럼 모두 사이좋게 놀아야겠다고 생각했어.

장주호 네가 쓴 독서 감상문을 읽고, 나도 그 책을 읽고 싶다는 생각이 들었어.

댓글 작성

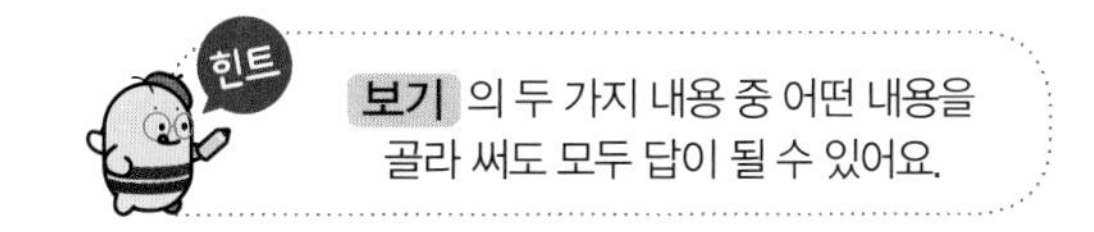

보기 의 두 가지 내용 중 어떤 내용을 골라 써도 모두 답이 될 수 있어요.

3주

2일 온라인 대화 하기

메신저를 사용해 온라인 대화를 해라!

실시간으로 메신저 등을 사용해 대화하는 것을 온라인 대화라고 해요.
온라인 대화를 할 때에는 대화를 시작하고 끝낼 때 인사를 하고, 대화 내용에 맞는 대답을 하며 대화를 이어 나가요. 대화 내용과 상관없는 말을 하면 대화의 흐름이 끊어질 수 있어요.
예의 없는 말이나 상대가 모르는 줄임 말을 쓰지 않도록 주의해요.

▶ 정답 및 해설 17쪽

● 사다리 타기를 하여 도착한 곳의 낱말을 따라 쓰며, 온라인 대화를 하는 방법을 알아보아요.

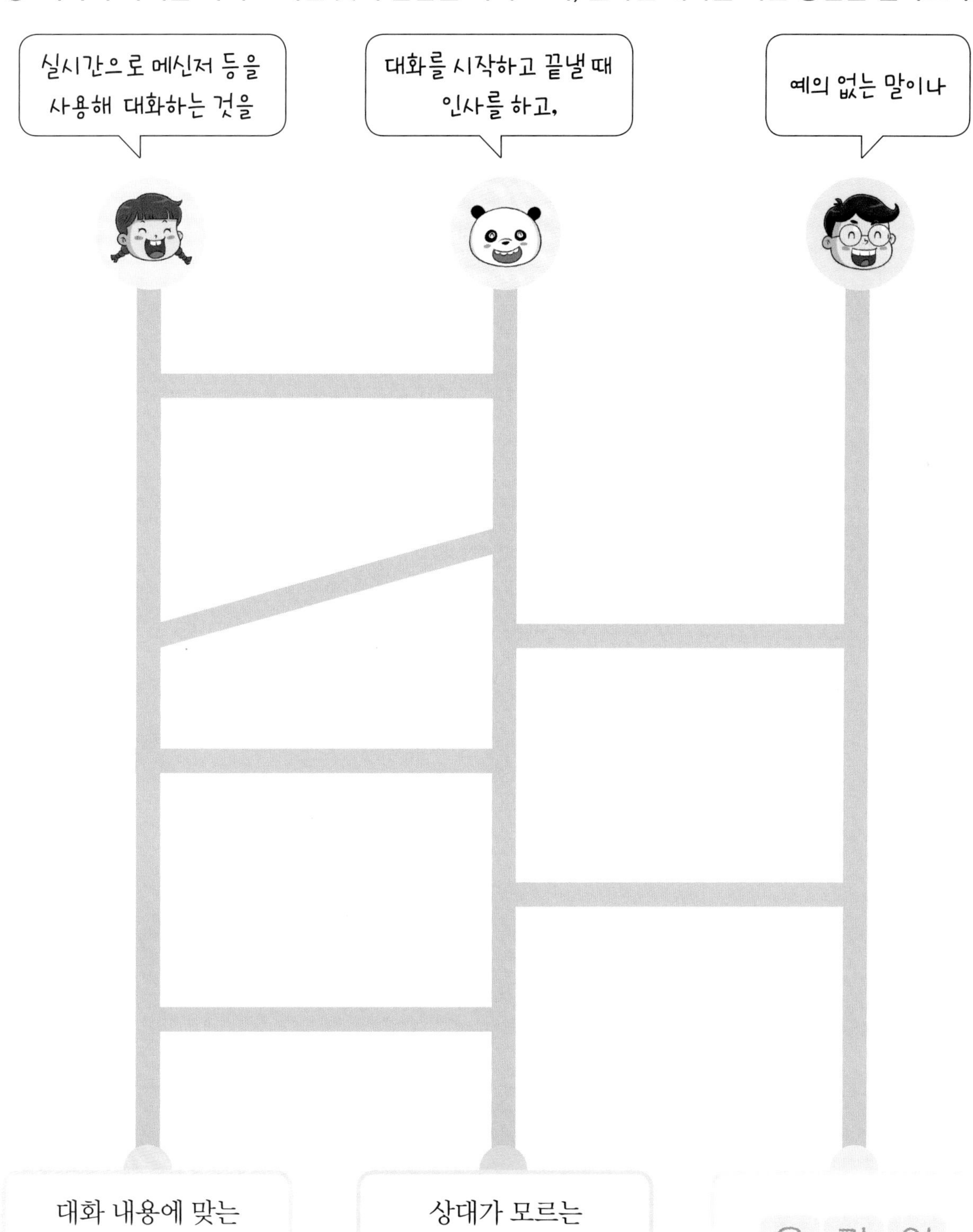
실시간으로 메신저 등을
사용해 대화하는 것을
대화를 시작하고 끝낼 때
인사를 하고,
예의 없는 말이나

대화 내용에 맞는 대 답 을 하며 대화를 이어 나가요.

상대가 모르는 줄 임 말 을 쓰지 않도록 주의해요.

온 라 인 대화라고 해요.

2일 온라인 대화 하기

● 다음 대화를 읽고, 대화 내용에 알맞은 대답을 쓰세요.

TALK
100%
안녕, 얘들아. 주말에 즐겁게 지냈니?
응, 잘 지냈어. 너도 주말에 즐겁게 지냈니?
응. 우리 모둠의 발표 주제를 정하는 일 때문에 온라인 대화방을 열었어.
'우리 고장에 대해 소개하기' 발표 말이지?
얘들아, 지금 텔레비전에서 재미있는 드라마를 하고 있어.
밤톨아, 딴소리하지 말고 집중해 줘.
미안. 나도 열공하며 발표를 도울게.
열공한다고? 그게 무슨 말이야?

어휘 풀이

▾**고장** 사람이 많이 사는 지방이나 지역. 예 우리 고장은 사과가 맛있기로 유명하다.

▾**딴소리** 주어진 상황과 아무런 관련이 없는 말. 예 내 질문에 짝꿍이 딴소리를 했다.

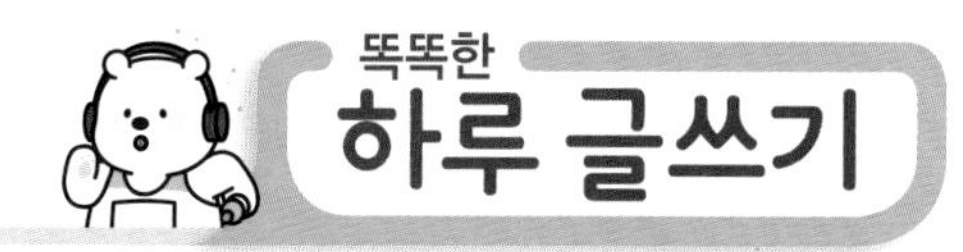

▶정답 및 해설 17쪽

낱말 쓰기

1 단계 달래의 말에 대한 대답으로 알맞은 말을 보기 에서 각각 골라 빈칸에 쓰세요.

보기

자랑 질문 가족들 특산품

'우리 고장에 대해 소개하기' 발표 말이지?

(1) 나는 우리 고장의 ☐☐☐ 을 소개하고 싶어.

(2) 다른 지역 사람들에게 ☐☐ 하고 싶은 것들이 무척 많거든.

문장 쓰기

2 단계 1에서 대답한 내용을 두 문장으로 정리하여 쓰세요.

❶ 나는 우리 고장의 ______________________ 싶어.

❷ 다른 지역 사람들에게 ______________________ 것들이 무척 많거든.

한 편 쓰기

3 단계 2에서 완성한 문장을 넣어 대화 내용에 알맞은 대답을 쓰세요.

	❶나	는	V			V				V	
			V					V			
❷다	른	V			V						V
				V			V				V
무	척	V	많	거	든	.					

3주

2일 똑똑한 하루 글쓰기 고쳐쓰기

▶정답 및 해설 17쪽

1 낱말 고쳐쓰기

다음 밤톨이가 한 말에서 모듬 을 바른 낱말로 고쳐 쓰려고 해요. 보기 에서 알맞은 낱말을 골라 고쳐 쓰세요.

보기

- 조 일정한 목적을 위하여 조직된, 적은 사람들의 집단.
- 모둠 학교에서, 효율적인 학습을 위하여 학생들을 작은 규모로 묶은 모임.

우리 ( ) 은/는 우리 고장의 특산품에 대해 발표하자.

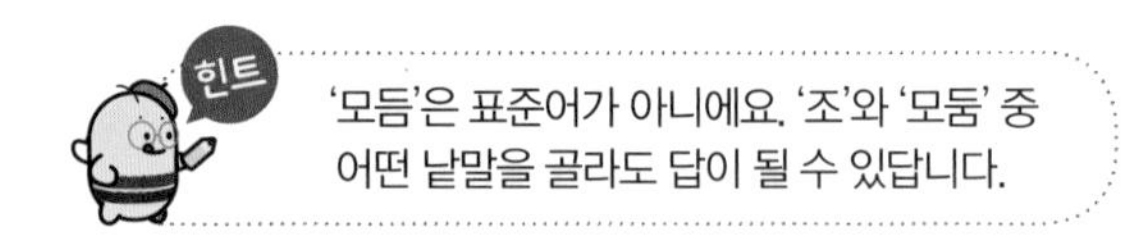

힌트
'모듬'은 표준어가 아니에요. '조'와 '모둠' 중 어떤 낱말을 골라도 답이 될 수 있답니다.

2 문장 고쳐쓰기

다음 친구가 쓴 문장 에 쓰인 열공 을 보기 중 두 가지 낱말을 사용하여 고치고, 문장을 따라 쓰세요.

보기

열심히 일어나 식사 공부

친구가 쓴 문장

나도 열공 하며 발표를 도울게.

힌트
'열공'이 어떤 말을 줄인 것인지 생각하며 누구나 이해할 수 있도록 고쳐 쓰세요.

↓

	나	도	V				V			하	며	V
발	표	를	V	도	울	게	.					

▶정답 및 해설 17쪽

다음 대화 내용에 알맞은 여자아이의 말을 보기 에서 각각 골라 빈칸에 쓰세요.

보기

『발레 하는 할아버지』를 읽어 봐. 할아버지의 사랑이 느껴지는 감동적인 책이야.

「해적왕의 대모험」이라는 만화 영화 봤니? 예고편이 재미있어 보였어.

학교 도서관에서 빌릴 수 있어.

다 함께 동물원에 놀러 갈까?

얘들아, 재미있게 읽은 책이 있으면 추천해 줘.

『로봇 백과』라는 책을 추천할게. 내가 좋아하는 로봇에 관한 책이야.

❶ ______________________

고마워. 그런데 그 책들은 어디에서 구하면 될까?

『로봇 백과』는 내가 산 책을 빌려줄게.

❷ ______________________

모두 고마워.

대화를 자연스럽게 이어 나갈 수 있는 대답을 찾아 쓰세요.
딴소리처럼 느껴지는 대답을 쓰지 않도록 주의해요.

3일 SNS에 글 쓰기

소셜 네트워크 서비스
소셜다이어리
바밤스타그램
SNS는 소셜 네트워크 서비스를 가리켜요. 다른 사람들과 공유하고 싶은 일이 있다면 SNS에 글을 써 봐요.
달래
밤톨아, 바밤별 친구들에게 소식은 자주 전하고 있니?
밤톨
바밤별의 SNS에 내가 지구에서 겪은 일을 올리고 있어.
글봇
하지만 밤톨이의 SNS는 나 말고는 보는 사람이 없는 것 같아.
입력

다른 사람들과 공유하고 싶은 일을 SNS에 글로 써라!

SNS는 여러 사람들과 이야기 또는 정보를 주고받을 수 있도록 만든 서비스예요.
SNS에는 다른 사람들과 공유하고 싶은 일과 그 일에 대해 생각하거나 느낀 점을 써요.
사진이나 영상을 함께 올리면 내용을 더 생생하게 전달할 수 있어요.

▶정답 및 해설 18쪽

◉ 그림에 맞는 퍼즐 모양을 찾아 ◯표를 하고, SNS에 대해 알아보아요.

일기장

SNS

여러 사람들과
이야기 또는 정보를
주고받을 수 있도록
만든 서비스.

상장

SNS에 쓸 내용을 생각하며 문장을 따라 쓰세요.

	가	족	과	V	동	물	원	에	V	왔	어
귀	여	운	V	동	물	들	을	V	모	두	에
게	도	V	보	여	V	주	고	V	싶	어	.

SNS에 글 쓰기

◉ 다음 만화를 읽고, 밤톨이가 붕어빵을 직접 만든 일을 SNS에 글로 써 보세요.

어휘 풀이

- **반죽** 가루를 물에 부어 이겨 갬. 또는 그렇게 한 것. ㉠ 밀가루와 여러 재료를 섞어 반죽했다.
- **이제껏** 이제까지 내내. ㉠ 짝꿍은 이제껏 본 적이 없는 과자를 먹고 있었다.
- **공유**|함께 공 共, 있을 유 有| 두 사람 이상이 한 물건을 함께 가짐.
  ㉠ 오늘 배운 내용을 인터넷 게시판에 써서 공유했다.

▶정답 및 해설 18쪽

낱말 쓰기

1단계 다음 그림을 보고, 밤톨이가 어떤 일을 겪었는지 빈칸에 알맞은 말을 각각 쓰세요.

(1) 친구들과 함께 집에서 [ㅂ][ㅇ][ㅃ]을 만들어 먹었다.

(2) 달콤하고 부드러운 붕어빵은 이제껏 먹은 [ㄱ][ㅅ] 중에서 가장 맛있었다.

문장 쓰기

2단계 1에서 답한 밤톨이가 겪은 일을 두 문장으로 정리하여 쓰세요.

❶ 친구들과 함께 집에서 ______ 먹었다.

❷ 달콤하고 부드러운 붕어빵은 ______ 중에서 가장 맛있었다.

한 편 쓰기

3단계 2에서 완성한 문장을 이용해 밤톨이가 SNS에 쓴 글을 완성해 보세요.

❶ 친구들과 함께 ______

❷ 달콤하고 부드러운 붕어빵은 ______

#붕어빵 #달콤하고부드러움 #맛있는간식 #붕어는없다

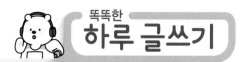

▶정답 및 해설 18쪽

1 낱말 고쳐쓰기

다음 친구가 쓴 문장 에서 빨리 를 뜻이 비슷한 다른 낱말로 바꿔 쓰려고 해요. 보기 에서 마음에 드는 낱말을 골라 바꿔 쓰세요.

보기

- **얼른** 시간을 끌지 않고 바로.
- **냉큼** 머뭇거리지 않고 가볍게 빨리.
- **어서** 일이나 행동을 빨리하도록 재촉하는 말.

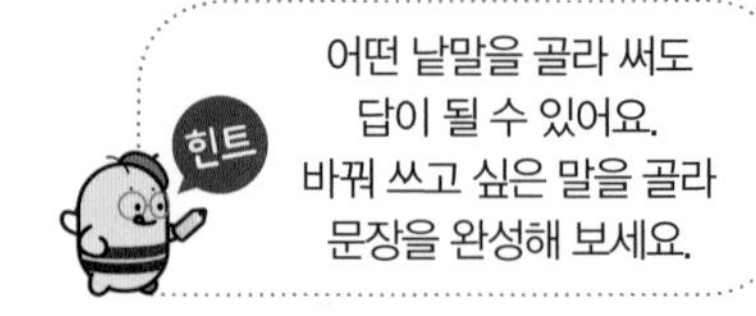

힌트
어떤 낱말을 골라 써도
답이 될 수 있어요.
바꿔 쓰고 싶은 말을 골라
문장을 완성해 보세요.

친구가 쓴 문장

달래가 **빨리** 붕어빵을 만들라고 다그쳤다.

↓

달래가 ☐☐ 붕어빵을 만들라고 다그쳤다.

2 문장 고쳐쓰기

다음 밑줄 그은 부분을 바르게 고치고, 문장을 따라 쓰세요.

↓

	나	도	V		' 좋	아	요	'	를	V	눌
러	V			!							

달래처럼 어떤 행동에 대한 약속이나 의지를
나타내는 말 끝에는 '~ㄹ게'를 붙여요.

똑똑한
하루 글쓰기 마무리

내 생각 쓰기로 하루 마무리

▶정답 및 해설 18쪽

현주는 놀이공원에 다녀온 일을 SNS에 글로 쓰려고 해요. SNS에 쓸 내용을 보기 에서 세 가지 골라 한 편의 글을 완성해 보세요.

보기

가족들과 함께 놀이공원에 다녀왔다.	친구들과 놀이공원으로 소풍을 갔다.
예쁜 사진을 잔뜩 찍었다.	하루 종일 놀이 기구를 마음껏 탔다.
즐겁고 행복한 하루였다.	다음에 또 오고 싶다고 생각했다.

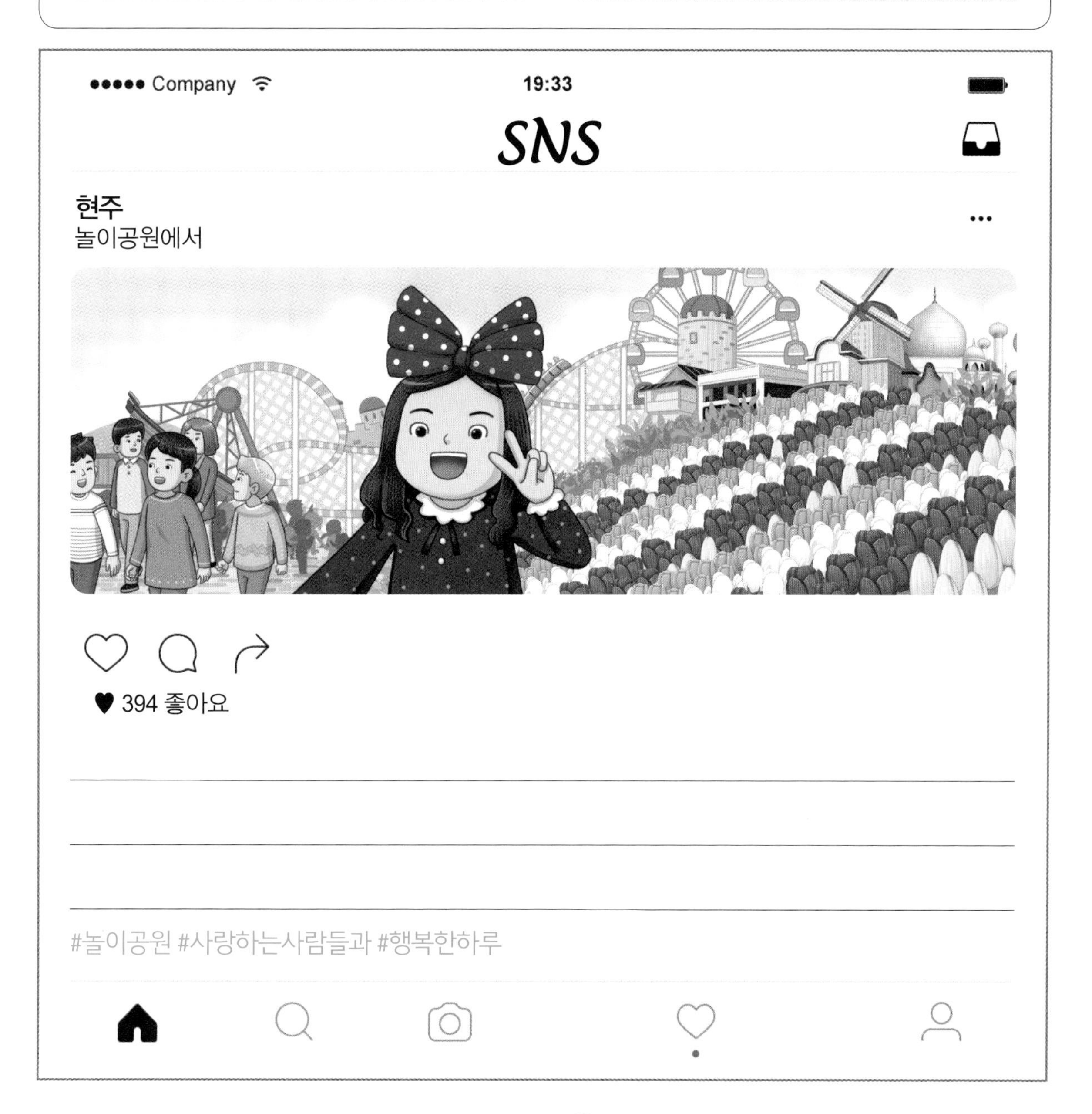

어떤 문장을 골라 써도 모두 답이 될 수 있어요. 세 개의 문장을 골라 흐름이 자연스러운 글이 되도록 써 보세요.

3주

이메일 쓰기

다른 사람에게 이메일을 써라!

이메일은 인터넷을 통해서 주고받는 편지로, 전자 우편이라고도 해요.

가운데에 '@'이 들어간 이메일 주소만 알고 있다면 쉽게 보낼 수 있지요.

이메일을 쓸 때에는 편지의 형식을 따라 첫인사, 전하고 싶은 말, 끝인사 등을 써요.

이메일을 통해 글자뿐만 아니라 사진, 음악, 동영상 등을 함께 보낼 수 있어 편리하답니다.

▶정답 및 해설 19쪽

◎ 사다리 타기를 하여 도착한 곳의 낱말을 따라 쓰며, 이메일을 쓰는 방법을 알아보아요.

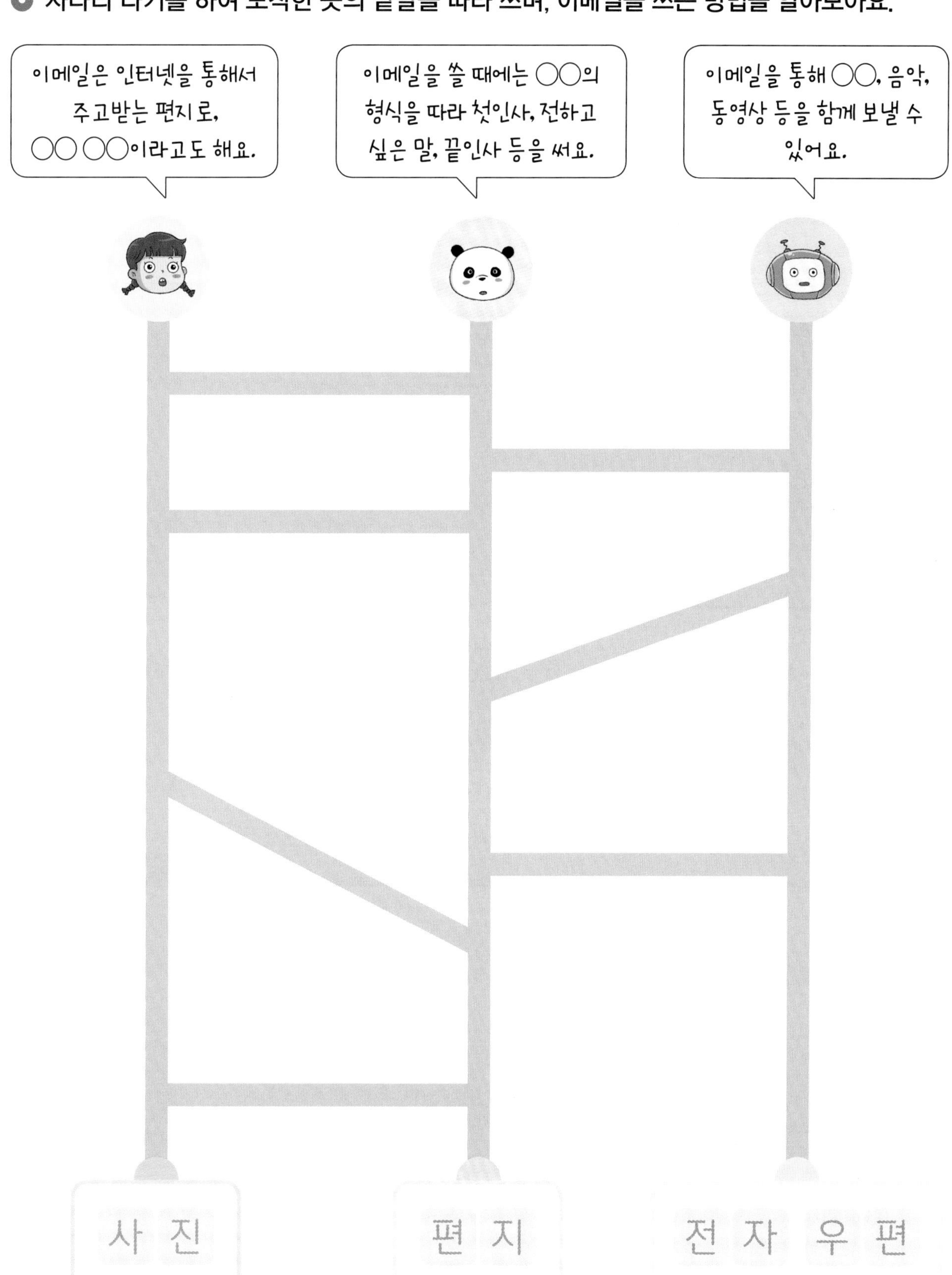
이메일은 인터넷을 통해서 주고받는 편지로, ○○ ○○이라고도 해요.
이메일을 쓸 때에는 ○○의 형식을 따라 첫인사, 전하고 싶은 말, 끝인사 등을 써요.
이메일을 통해 ○○, 음악, 동영상 등을 함께 보낼 수 있어요.
사진
편지
전자 우편

이메일 쓰기

◎ 다음 만화를 읽고, 지수가 고모에게 보낸 이메일을 완성하세요.

어휘 풀이

▼ **이민**|옮길 이 移, 백성 민 民| 자기 나라를 떠나 다른 나라로 이주하는 일. 또는 그런 사람.

예 일본에서 우리나라로 이민 온 이웃을 만났다.

▼ **방금**|모 방 方, 이제 금 今| 말하고 있는 순간보다 바로 조금 전.

예 방금도 다시 이상한 소리가 들렸다.

▼ **첨부**|더할 첨 添, 붙을 부 附| 안건이나 문서 따위를 덧붙임.

예 마라톤 대회 참가 신청에 필요한 추가 서류를 첨부했다.

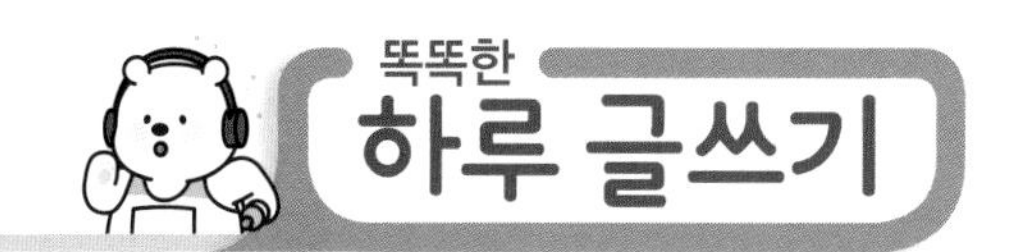

▶정답 및 해설 19쪽

낱말 쓰기

1단계 다음은 지수가 고모에게 하고 싶은 말을 정리한 것입니다. 빈칸에 알맞은 말을 보기 에서 각각 골라 쓰세요.

보기

뵙고 듣고 강아지 고양이

(1) 고모를 정말 □□ 싶어요.

(2) 며칠 전부터 귀여운 □□□ 도 키우기 시작했어요.

문장 쓰기

2단계 1의 내용을 바탕으로 지수가 고모에게 하고 싶은 말을 두 문장으로 정리하여 쓰세요.

❶ 고모를 .

❷ 며칠 전부터 귀여운 시작했어요.

한 편 쓰기

3단계 2에서 답한 문장을 넣어 지수가 고모에게 보낸 이메일을 완성하세요.

고모, 안녕하세요. 잘 지내고 계시죠? 저 지수예요.
미국으로 이민 가신 고모를 못 뵌 지도 어느새 일 년이 지났어요. ❶ ____________

____

저와 저희 가족은 모두 잘 지내고 있어요. ❷ ____________

____

고모께서 좋아하실 것 같아 고양이 사진을 함께 보내요.
항상 건강하게 지내시길 바라요.

첨부 파일 | 고양이_사진.jpg

3주

▶ 정답 및 해설 19쪽

1 다음 밑줄 그은 낱말을 바르게 고쳐 쓰세요.

낱말 고쳐쓰기

몇일 전부터 고양이를 키우기 시작했다는 소식도 전해 드려야지.

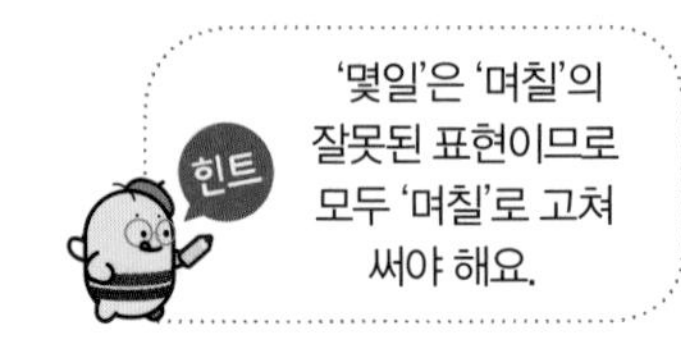

힌트 '몇일'은 '며칠'의 잘못된 표현이므로 모두 '며칠'로 고쳐 써야 해요.

몇일 → ☐☐

2 다음 문장에서 밑줄 그은 부분의 띄어쓰기를 알맞게 고쳐 쓰고, 문장을 따라 쓰세요.

문장 고쳐쓰기

	미	국	으	로	V	이	민	V	가	신	V	
고	모	를	V		V		V		V	벌	써	V
일	V	년	이	V	됐	어	요	.				

힌트 '뒤에 오는 동작을 할 수 없거나 상태가 이루어지지 않았음.'을 뜻하는 '못'은 뒷말과 띄어 쓰고, '어떤 일이 있었던 때로부터 지금까지의 동안.'을 뜻하는 '지'도 앞말과 띄어 써요.

똑똑한 하루 글쓰기 마무리

내 생각 쓰기로 하루 마무리

▶ 정답 및 해설 19쪽

다음 그림을 보고, 미술 시간에 있었던 일로 다윤이가 보라에게 이메일을 쓸 때 빈칸에 알맞은 말을 보기 에서 각각 골라 이메일을 완성하세요.

보기

학교에서 네게 사과의 말을 전할 수 있을 것 같아.

학교에서 말할 수 없을 것 같아 이렇게 이메일을 보내.

네 옷을 더럽혀서 정말 미안해.

옷을 선물해 줘서 정말 고마워.

힌트: ❶과 ❷에 알맞은 문장을 각각 한 가지씩 골라 이메일을 완성해 보아요.

☆ 보라야, 미안해

보낸 사람	김다윤 day*****@******.***
받는 사람	윤보라 bor*****@******.***
보낸 날짜	20○○. 04. 17. 금요일 오후 05:25:56

안녕, 보라야. 나 다윤이야.

내일은 주말이니까 ❶ ______________________________

오늘 학교에서 미술 시간에 내가 실수로 네 옷에 물감을 묻혔지? ❷ ______________

바로 사과했어야 하는데 너무 당황해서 제대로 사과하지 못했어. 집에 와서 내내 네게 제대로 사과하지 못한 것이 마음에 걸렸어. 앞으로는 미술 시간에 더 조심할게.

주말 잘 보내고, 월요일에 학교에서 만나!

3주

5일 게시판에 공지 글 쓰기

공지 사항
방송 시간 변경 안내
오후 3시 30분 → 오후 4시 30분
글봇
다음 주부터 술술 TV의 실시간 방송 시간이 바뀐다는 공지네.
밤톨
왜 나는 공지 글을 못 찾겠지?
기찬
밤톨아, 너 공지 게시판에 제대로 들어간 것 맞아?
입력
여러분~! 오늘은 여러분에게 전달할 공지가 있어요. 모두 공지 게시판을 클릭해 주세요!

공지 게시판에 공지 글을 써라!

인터넷 게시판에서는 여러 사람들이 시간과 공간의 제약 없이
자신이 원하는 정보를 주고받을 수 있어요.
이때 각 게시판의 주제와 성격에 맞게 글을 써야 정보를 잘 전달할 수 있답니다.
공지 게시판에 글을 쓸 때에는 여러 사람이 두루 알아야 할 내용을 짧고 간단하게 써야 해요.

똑똑한 하루 글쓰기 미리 보기

▶정답 및 해설 20쪽

◉ 그림에 맞는 퍼즐 모양을 찾아 ◯표를 하고, 공지 게시판에 공지 글을 쓰는 방법에 맞게 빈칸에 들어갈 낱말을 알아보아요.

공지 게시판에 공지 글을 쓰는 방법을 생각하며 다음 문장을 따라 쓰세요.

	다	가	오	는	V	태	풍	에	V	대	비
해	V	외	출	을	V	자	제	합	시	다	.

3
주

5일 게시판에 공지 글 쓰기

◉ 다음 대화를 읽고, 회장 유빈이가 학급 누리집 공지 게시판에 올릴 공지 글을 완성하세요.

어휘 풀이

▾ **완벽**|완전할 **완** 完, 둥근 옥 **벽** 璧|**히** 흠이나 부족함이 없이 완전하게.
　㉑ 여행 준비를 완벽히 끝냈다.

▾ **수리**|닦을 **수** 修, 다스릴 **리** 理| 고장 나거나 허름한 데를 손보아 고침.
　㉑ 비가 새는 지붕을 수리했다.

▾ **공지**|공변될 **공** 公, 알 **지** 知| 세상에 널리 알림.
　㉑ 선생님께서 공지 사항이 있다고 하셨다.

▶정답 및 해설 20쪽

낱말 쓰기

1단계 다음 그림을 보고, 회장 유빈이가 반 친구들에게 전하고 싶은 말은 무엇인지 알맞은 낱말을 빈칸에 각각 쓰세요.

(1) 우리 학교 ㅇ ㄷ ㅈ 에 고장 난 놀이 기구가 많습니다.

(2) 수리가 끝날 때까지 ㄴ ㅇ ㄱ ㄱ 를 사용하지 맙시다.

문장 쓰기

2단계 1에서 답한 내용을 두 문장으로 정리하여 쓰세요.

❶ 우리 학교 ______ 많습니다.

❷ 수리가 끝날 때까지 ______ 맙시다.

한 편 쓰기

3단계 2에서 쓴 문장을 넣어 유빈이가 학급 누리집에 올릴 공지 글을 완성하세요.

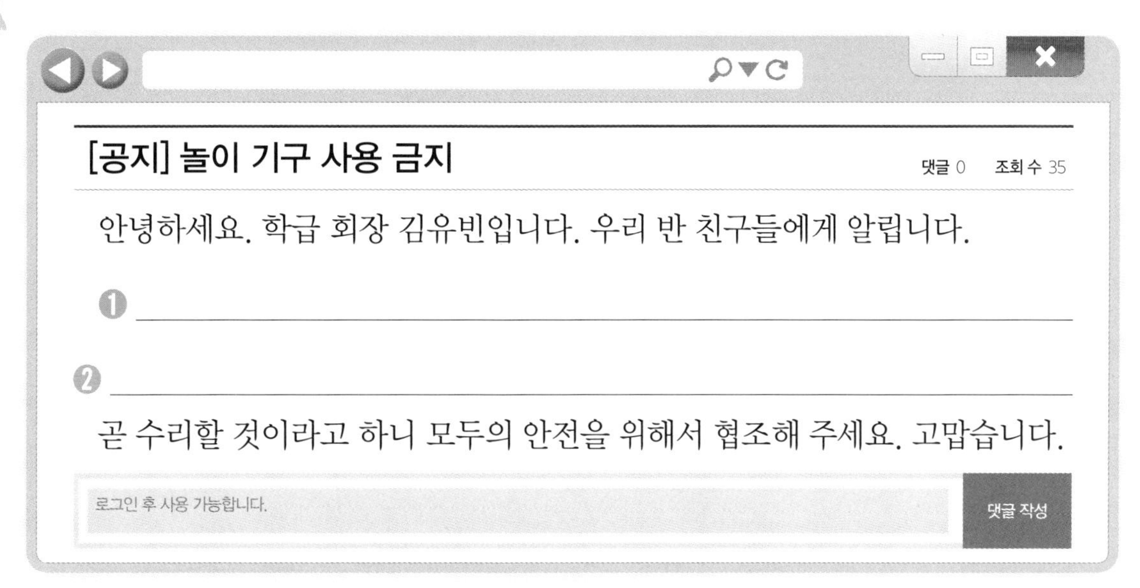

[공지] 놀이 기구 사용 금지 댓글 0 조회 수 35

안녕하세요. 학급 회장 김유빈입니다. 우리 반 친구들에게 알립니다.

❶ ______

❷ ______

곧 수리할 것이라고 하니 모두의 안전을 위해서 협조해 주세요. 고맙습니다.

로그인 후 사용 가능합니다. 댓글 작성

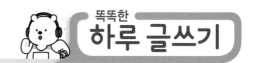

▶ 정답 및 해설 20쪽

1 낱말 고쳐쓰기

다음 낱말의 뜻을 보고, 밑줄 그은 낱말을 각각 바르게 고쳐 쓰세요.

많다	개수나 분량, 정도 따위가 일정한 기준을 넘다.
크다	길이, 넓이, 높이, 부피 따위가 보통 정도를 넘다.

(1) 망가져서 위험해 보이는 놀이 기구들이 크다.

크 다 → ☐☐

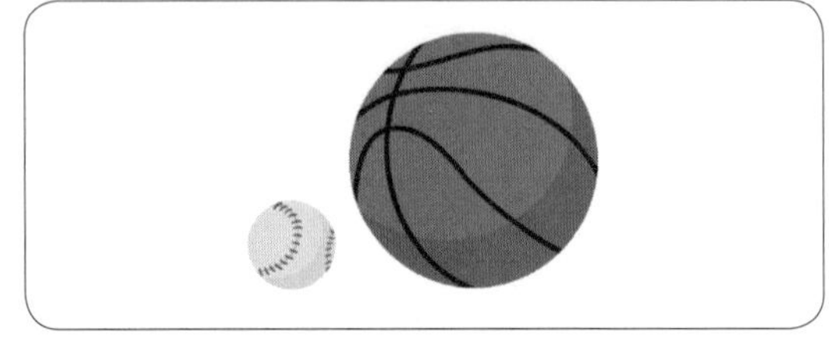

(2) 농구공은 야구공보다 많다.

많 다 → ☐☐

2 문장 고쳐쓰기

다음 문장에서 밑줄 그은 부분의 띄어쓰기를 알맞게 고쳐 쓰고, 문장을 따라 쓰세요.

↓

	우	리	V	반	V	친	구	들	이	V	놀
다	가	V			V		V	같	아	.	

힌트 '것'은 혼자서는 쓸 수 없는 낱말이에요.
앞에 오는 다른 낱말과 함께 써야 하고, 앞말과 띄어 써요.

▶정답 및 해설 20쪽

다음 상황 중 한 가지를 골라, 학급 누리집 게시판에 올릴 공지 글을 써 보세요.

상황 1	학급 회의에서 '쓰레기 분리배출을 잘 하자.'가 실천 내용으로 결정되었다.
상황 2	여름 방학 시작 날짜가 7월 30일로 변경되었다.

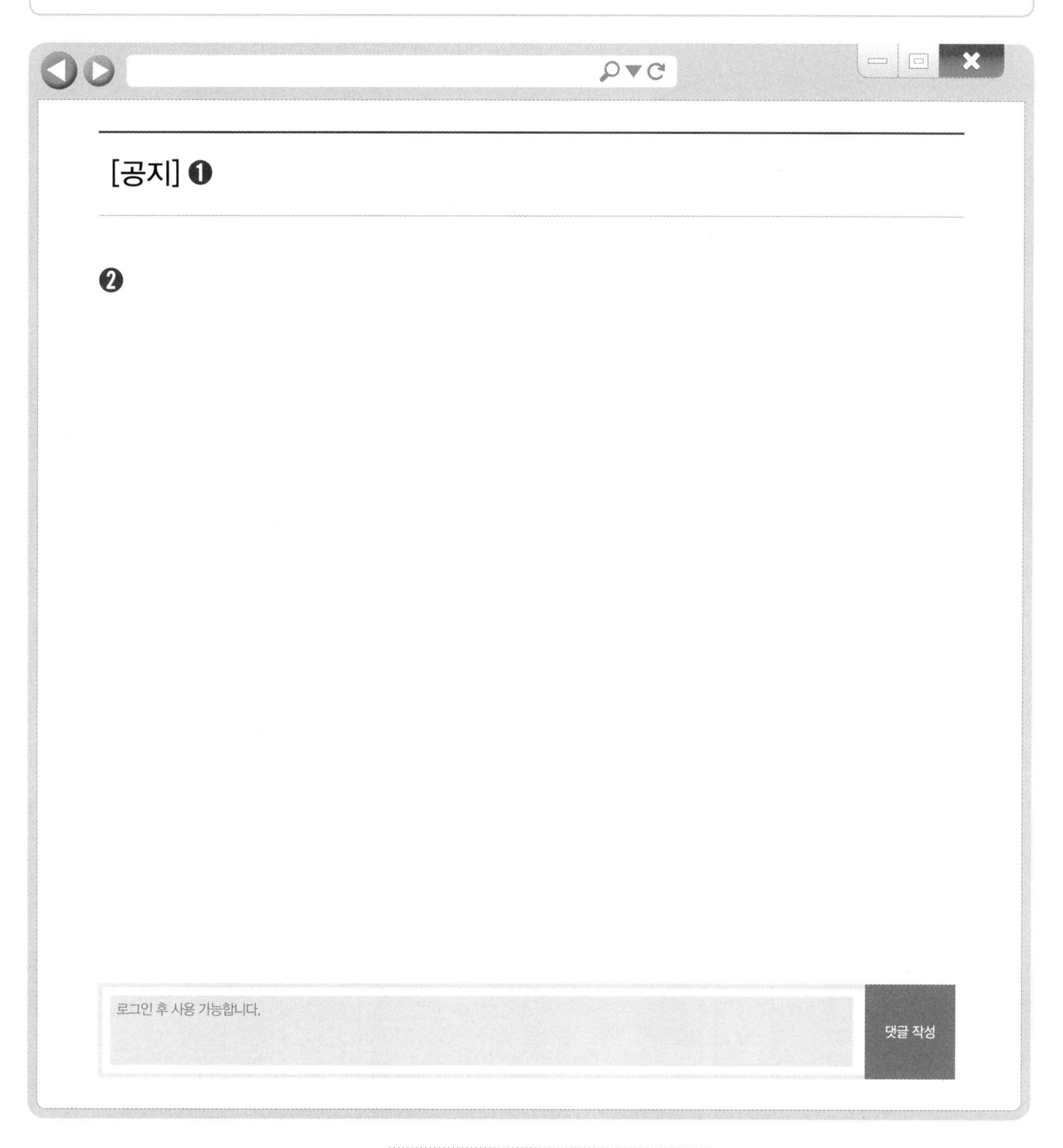

❶에 공지 글의 제목을 쓰고, ❷에 여러 사람이 두루 알아야 될 내용을 짧고 간단하게 정리해서 써요.

3주

생활 어휘 다음 만화를 보며 속담의 뜻을 알아보고, 상황에 맞게 속담을 써 보세요.

도둑이 제 발 저리다

▶정답 및 해설 21쪽

속담의 뜻을 알아봐요!

도둑이 제 발 저리다

이 속담은 "지은 죄가 있으면 자연히 마음이 조마조마하여지다."라는 뜻이랍니다.

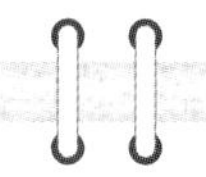

이제 이 속담을 넣어 상황에 맞게 써 볼까요?

엄마께서 내가 꽃병을 깬 걸 아실 것 같아.

낮에 엄마께서 아끼시는 꽃병을 깨고도 모르는 척하려니 "□□□□ □□□□"라는 말처럼 계속 초조하다.

아라가 호숫가에서 강아지 리오를 산책시키려고 해요. 뜻에 알맞은 낱말을 찾아 따라 쓰며 호수까지 가는 길을 선으로 이어 보세요.

창의 3주에 나왔던 **낱말과 그 뜻**을 익히며 호수까지 가는 길을 찾아봅니다.

▶정답 및 해설 21쪽

『짜장 짬뽕 탕수육』을 읽고 쓴 글에 댓글을 단 친구들이 중국집에 왔어요. 친구들이 주문한 음식의 가격을 모두 더하면 얼마를 내면 되는지 쓰세요.

친구들이 시킨 음식은 짜장면 2개, 짬뽕 1개, 탕수육 1개예요. 주문한 음식의 가격을 모두 더한 음식값은 ☐ 원이에요.

융합 국어+수학

「짜장 짬뽕 탕수육」을 읽고 쓴 글을 떠올리며, 친구들이 주문한 음식의 가격을 모두 더하여 **음식값을 계산**해 봅니다.

● 다음 다섯 고개 놀이의 정답은 무엇인지 알맞은 간식을 보기 에서 골라 쓰세요.

고개	질문	대답
1	겨울에 먹는 간식인가요?	예, 주로 겨울에 먹는 간식이에요.
2	차갑게 먹는 음식인가요?	아니요, 따뜻하게 먹는 음식이에요.
3	국물이 있는 음식인가요?	아니요, 국물은 없어요.
4	재료에 생선이 들어가나요?	아니요, 생선은 들어가지 않아요.
5	둥글고 넓적한 모양인가요?	아니요, 물고기 모양을 하고 있어요.

설명하는 간식은 (　　　) 인가요? 예, 맞아요.

보기

호떡　붕어빵　어묵　팥빙수

(　　　　　　　)

창의 다섯 가지의 질문과 대답을 하며 놀이를 해 보고, **설명하는 간식의 특징**을 살펴 알맞은 간식을 찾아봅니다.

▶정답 및 해설 21쪽

◉ 망가진 놀이 기구를 수리하기 위해 수리 기사님이 학교 입구에 도착했어요. 그네를 가장 먼저 수리하려고 할 때, 그네까지 가려면 어떤 코딩 명령을 따라가야 할지 골라 ○표를 하세요.

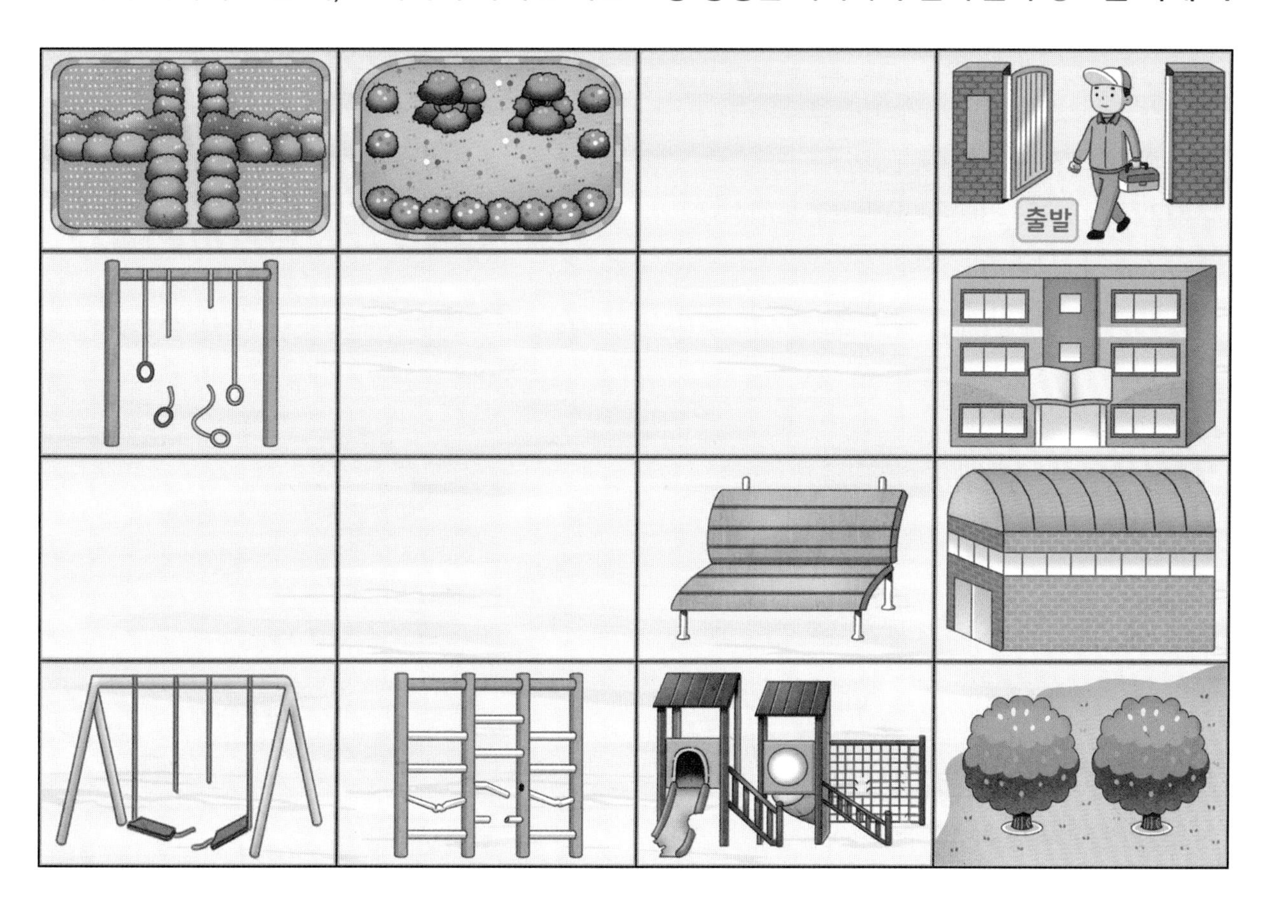

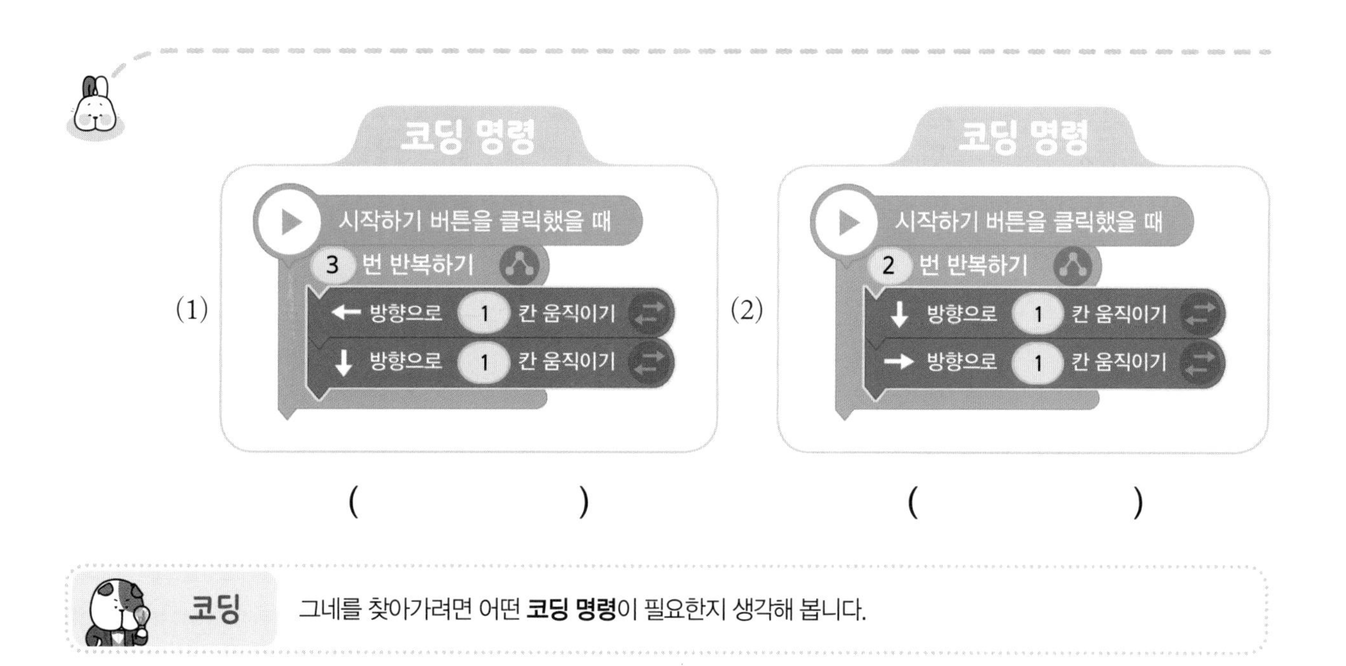

( ) ( )

코딩 그네를 찾아가려면 어떤 **코딩 명령**이 필요한지 생각해 봅니다.

누구나 100점 테스트

1 **다음 중 인터넷에 다른 사람이 쓴 글을 읽고 댓글을 쓰는 방법을 알맞게 말한 사람의 이름을 쓰세요.**

> **대철:** 다른 사람이 쓴 글에서 중요한 내용을 간추려 써.
> **지안:** 글을 읽고 어떤 생각이나 느낌이 들었는지, 그러한 생각이나 느낌이 든 까닭이 무엇인지 잘 드러나게 쓰면 돼.

(　　　　　　)

글쓰기

2 **다음 글을 읽고, 빈칸에 알맞은 말을 넣어 댓글을 완성하고 따라 쓰세요.**

오늘은 우리 집 개 리오를 소개해 줄게.
리오는 비숑 프리제라는 종류의 개야. 비숑 프리제라는 이름은 프랑스어로 '곱슬곱슬한 털'을 뜻한다고 해. 그 이름대로 하얗고 곱슬곱슬한 털이 온몸을 덮고 있어서 안으면 무척 폭신폭신해. 그래서 나는 리오를 안아 주는 것을 좋아해.

		가	V	정	말	V	귀
엽	다	.	나	도	V		를
키	우	고	V	싶	어	.	

3 **다음 중 온라인 대화에 대한 설명으로 바른 것에 ○표를 하세요.**

(1) 전화기를 통해 목소리를 내어 대화하는 것을 말한다. (　　)
(2) 실시간으로 메신저 등을 사용해 대화를 하는 것을 말한다. (　　)

4 **다음 밑줄 그은 줄임 말을 알맞게 고쳐 쓴 문장에 ○표를 하세요.**

(1) 나도 열심히 공부할게. (　　)
(2) 나도 오늘은 공부할게. (　　)

5 **다음 SNS에 쓴 글에서 사람들과 공유하고 싶은 일은 무엇인지 빈칸에 알맞은 말을 찾아 쓰세요.**

친구들과 함께 집에서 붕어빵을 만들어 먹었다. 달콤하고 부드러운 붕어빵은 이제껏 먹은 간식 중에서 가장 맛있었다.
#붕어빵 #달콤하고부드러움 #맛있는간식 #붕어는없다

□□□을 만들어 먹은 일

▶정답 및 해설 22쪽

글쓰기

6 다음은 이메일에 들어갈 내용이에요. 함께 보낸 사진을 보고, 빈칸에 알맞은 말을 보기 에서 골라 문장을 완성하고 따라 써 보세요.

보기
- 고양이
- 병아리
- 원숭이

	고	모	께	서	V	좋	아
하	실	V	것	V	같	아	V
			V	사	진	을	V
함	께	V	보	내	요	.	

[7~8] 다음 글을 읽고, 물음에 답하세요.

☆ 보라야, 미안해

보낸 사람	김다윤 day*****@******.***
받는 사람	윤보라 bor*****@******.***
보낸 날짜	20○○. 04. 17. 금요일 오후 05:25:56

㉠안녕, 보라야. 나 다윤이야.

내일은 주말이니까 학교에서 말할 수 없을 것 같아 이렇게 [㉡]을/를 보내.

오늘 학교에서 미술 시간에 내가 실수로 네 옷에 물감을 묻혔지? 네 옷을 더럽혀서 정말 미안해.

바로 사과했어야 하는데 너무 당황해서 제대로 사과하지 못했어. 집에 와서 내내 네게 제대로 사과하지 못한 것이 마음에 걸렸어. 앞으로는 미술 시간에 더 조심할게.

주말 잘 보내고, 월요일에 학교에서 만나!

7 ㉠은 이 글의 어떤 부분에 해당하는지 알맞은 것에 ○표를 하세요.

(첫인사 , 하고 싶은 말 , 끝인사)

8 [㉡] 안에 들어갈 글의 종류로 알맞은 것에 ○표를 하세요.

(1) 일기 (　　)
(2) 이메일 (　　)
(3) 문자 메시지 (　　)

[9~10] 다음 글을 읽고, 물음에 답하세요.

안녕하세요. 학급 회장 김유빈입니다. 우리 반 친구들에게 알립니다.

우리 학교 운동장에 고장 난 놀이 기구가 많습니다. 수리가 끝날 때까지 놀이 기구를 사용하지 맙시다.

곧 수리할 것이라고 하니 모두의 안전을 위해서 협조해 주세요. 고맙습니다.

9 이 글에서 전하고 싶은 내용으로 알맞은 말에 ○표를 하세요.

- 수리가 끝날 때까지 (놀이 기구 , 청소 도구)를 사용하지 맙시다.

10 이 글의 특징을 알맞게 말한 친구의 이름을 쓰세요.

달래: 대상을 여러 부분으로 나누어서 설명한 글이야.
판판: 여러 사람이 두루 알아야 할 내용을 짧고 간단하게 쓴 글이야.

(　　　　　　)

3주

4주

4주에는 무엇을 공부할까? ①

견학 기록문을 써 보자!

1일 장소, 날짜, 목적 쓰기
2일 본 것 쓰기
3일 들은 것 쓰기
4일 생각하거나 느낀 것 쓰기
5일 견학 기록문 쓰기

4주

4주 4주에는 무엇을 공부할까? ❷

야호, 견학 간다!
그런데 견학 기록문이 뭐야?
어떤 장소에 다녀온 뒤에 알게 된 사실을 중심으로 보고 듣고 생각하거나 느낀 것을 기록한 글이야.

판판, 자는 거니?
쿨~

1-1 다음은 무엇에 대한 설명인지 알맞은 것을 골라 ○표를 하세요.

어떤 장소를 다녀온 뒤에 알게 된 사실을 중심으로 보고 듣고 생각하거나 느낀 것을 기록한 글이다.

(1) 견학 기록문 (　　　)

(2) 설명하는 글 (　　　)

(3) 주장하는 글 (　　　)

1-2 다음 친구의 말을 잘 읽고, 친구가 어떤 글을 쓰면 좋을지 빈칸에 알맞은 말을 쓰세요.

라디오 방송 스튜디오를 견학하고 라디오 방송 진행자 일을 직접 체험해 보았어. 내가 보고 듣고 생각하거나 느낀 것을 기록해야지.

ㄱ ㅎ 기록문

▶ 정답 및 해설 23쪽

2-1 견학 기록문의 가운데 부분에 쓸 내용으로 알맞지 않은 것을 골라 ×표를 하세요.

(1) 견학을 가서 본 것 (   )

(2) 견학을 가서 들은 것 (   )

(3) 견학 기록문을 쓴 사람의 이름 (   )

2-2 다음은 견학 기록문의 일부분이에요. 어떤 내용에 해당하는지 알맞은 것을 골라 따라 쓰세요.

치타의 얼굴에는 검은색 줄무늬가 있었다.

본 것 느낀 것

4주

장소, 날짜, 목적 쓰기

판판
나는 제빵사! 대나무의 잎으로 빵을 만들어 보고 싶어.
밤톨
난 글쓰기 선생님! 바밤별 학생들에게 글을 잘 쓸 수 있는 비법을 가르쳐 주고 싶어.
글봇
밤톨아, 그럼 글쓰기 공부를 좀 더 열심히 하자꾸나!
친구들, 이곳은 원하는 직업을 체험해 볼 수 있는 직업 체험 테마 공원이에요. 친구들은 어떤 직업을 체험해 보고 싶은가요?
입력
POLICE STATION
글쓰기

견학 기록문에 어디를, 언제, 왜 갔는지 써라!

견학 기록문이란 어떤 장소를 다녀온 뒤에 알게 된 사실을 중심으로 보고 듣고 생각하거나 느낀 것을 기록한 글이에요. 견학 기록문의 처음 부분에는 어디(장소)를 다녀왔는지, 언제(날짜) 다녀왔는지, 왜(목적) 다녀왔는지를 써요.

▶정답 및 해설 23쪽

● 사다리 타기를 하여 도착한 곳의 낱말을 따라 쓰며, 견학 기록문의 처음 부분에 들어갈 내용을 알아보아요.

장소, 날짜, 목적 쓰기

● 다음 견학 기록문을 읽고, ㉠ 안에 들어갈 견학 목적을 쓰세요.

견학 장소	직업 체험 테마 공원
날짜	20○○년 9월 2일
견학 목적	㉠
보고 들은 것	직업 체험 테마 공원으로 ▼견학을 가서 라디오 방송 진행자와 승무원 일을 직접 체험해 보았다. 먼저 라디오 방송 스튜디오를 둘러보았다. 라디오 방송을 하기 위해서는 프로그램 ▼기획, 자료 조사, 대본 쓰기, 출연자 ▼섭외의 과정이 필요하다고 한다. 나는 라디오 방송 진행자가 되어 대본을 보고 라디오 방송을 직접 진행해 보았다. 승무원 교육 센터에서의 체험은 실제 비행기 안에서 이루어졌다. 승무원은 비행기 안에서 승객의 안전을 책임지고, 승객이 편안하게 여행할 수 있도록 여러 가지 서비스를 제공한다고 한다.
생각하거나 느낀 것	내가 어른이 되면 하고 싶었던 일들을 직접 체험해 보니 마치 내가 어른이 된 것처럼 느껴졌다. 그리고 어른이 되어 하고 싶은 일을 하기 위해서 많은 것들을 배우고 체험해 보아야겠다고 생각했다.

어휘 풀이

▼**견학** | 볼 견 見, 배울 학 學 | 어떤 일과 관련된 곳을 직접 찾아가서 보고 배움.
예) 아빠와 함께 방송국으로 견학을 다녀왔다.

▼**기획** | 꾀할 기 企, 새길 획 劃 | 행사나 일 등의 절차와 내용을 미리 자세하게 계획함.
예) 엄마께서는 새로운 공연 기획을 맡아 무척 바쁘시다.

▼**섭외** | 건널 섭 涉, 바깥 외 外 | 어떤 일을 이루기 위하여 연락하여 의논함.
예) 영화에 출연할 배우들을 섭외하기 위해 많은 전화를 했다.

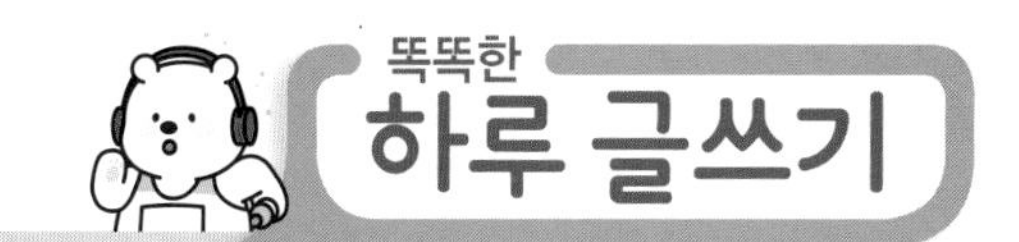

▶정답 및 해설 23쪽

낱말 쓰기

1단계 채민이가 한 말을 잘 읽어 보고, 채민이가 직업 체험 테마 공원에 간 목적은 무엇인지 빈칸에 알맞은 낱말을 각각 쓰세요.

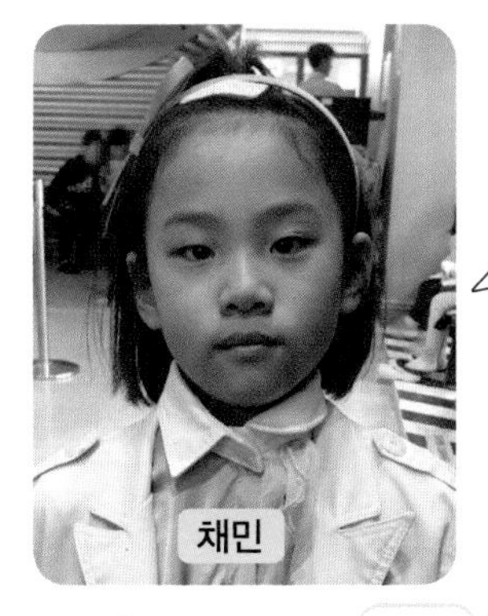

내가 원하는 직업은 라디오 방송 진행자와 승무원이야. 그 직업을 직접 체험해 봐야지.

내가 원하는 ㅈ ㅇ 에 대해 알고 싶다. 그리고 그 직업을 직접 ㅊ ㅎ 해 보고 싶다.

문장 쓰기

2단계 1에서 쓴 내용을 한 문장으로 정리하여 쓰세요.

내가 원하는 ______ 에 대해 ______ 싶고, 그 직업을 직접 ______ 싶어서이다.

한 편 쓰기

3단계 2에서 쓴 문장을 넣어 ㉠ 안에 들어갈 견학 목적을 쓰세요.

	내	가	V	원	하	는	V				V
		V			V			,	그	V	
		V			V				V		V

1일 똑똑한 하루 글쓰기 고쳐쓰기

▶ 정답 및 해설 23쪽

1 낱말 고쳐쓰기

다음 문장의 밑줄 그은 낱말을 바르게 고쳐 쓰세요.

나는 라디오 방송 진행자가 <u>돼어</u> 대본을 보고 라디오 방송을 직접 진행해 보았다.

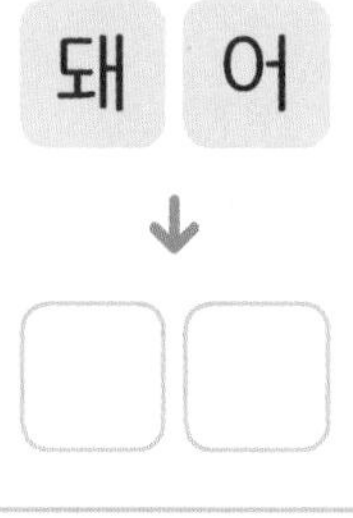

돼 어

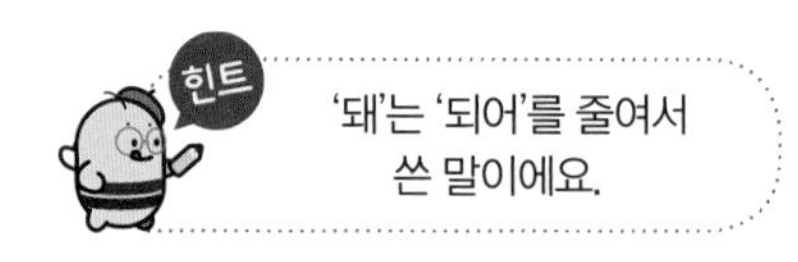

힌트
'돼'는 '되어'를 줄여서 쓴 말이에요.

2 문장 고쳐쓰기

다음 친구가 고쳐 쓴 문장 과 같이 알맞은 말을 넣어 밑줄 그은 부분을 고치고, 문장을 따라 쓰세요.

친구가 고쳐 쓴 문장

언니는 <u>만약</u> 엄마가 된 것처럼 나에게 잔소리를 늘어놓았다.

➔ 언니는 <u>마치</u> 엄마가 된 것처럼 나에게 잔소리를 늘어놓았다.

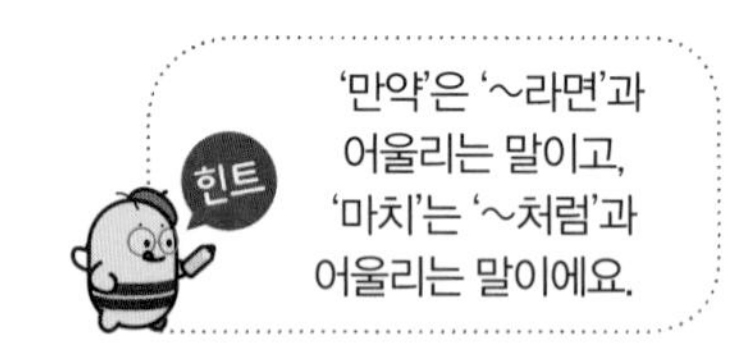

힌트
'만약'은 '~라면'과 어울리는 말이고, '마치'는 '~처럼'과 어울리는 말이에요.

	만	약	V	내	가	V	어	른	이	V	된	V
것	처	럼	V	느	껴	졌	다	.				

↓

V 내 가 V 어 른 이 V 된 V
것 처 럼 V 느 껴 졌 다 .

▶정답 및 해설 23쪽

다음 친구가 쓴 글 처럼 견학을 다녀온 경험을 떠올려 견학을 간 목적, 날짜, 장소를 쓰세요.

친구가 쓴 글

나에게 꼭 맞는 직업이
무엇인지 알고 싶어서
20○○년 9월 7일
직업 체험 테마 공원에
다녀왔다.

내가 즐겁게 잘할 수 있는 일을
찾아 준비하고 싶은 생각이
들어 주말에 직업 체험
테마 공원에 다녀왔다.

내 이름

____

____

___________________________에 다녀왔다.

왜 견학을 갔는지, 언제, 어디로 견학을 갔는지 써 보세요. 친구가 쓴 글 에 나오는 말을 이용하여 써도 돼요.

4주

2일 본 것 쓰기

오늘은 동물원으로 견학을 가서 본 것을
써 볼 거예요. 언제, 또는 어디에서
무엇을 보았는지 기억을 더듬어 보세요!
똑똑TV
글쓰기
달래
나처럼 귀여운 미어캣을 봤어.
밤톨
나는 나처럼 멋지게 생긴 사자!
기찬
나는 나처럼 잘생긴 치타를 봤어.
입력

견학을 가서 본 것을 써라!

견학 기록문의 가운데 부분에는 견학을 가서
무엇을 보았는지 써야 해요. 견학 기록문에 본 것을 쓸 때에는
시간의 흐름에 따라 언제 무엇을 보았는지 써도 되고,
장소의 변화에 따라 어디에서 무엇을 보았는지 써도 돼요.

▶정답 및 해설 24쪽

● 사진에 맞는 퍼즐 모양을 찾아 ○표를 하고, 견학 기록문의 가운데 부분에 들어갈 내용 중 무엇에 해당하는지 알아보아요.

치타의
얼굴에는
검은색
줄무늬가
있었다.

견학을 가서 본 것을 생각하며 문장을 따라 쓰세요.

	치	타	의	V	얼	굴	에	는	V	검	은
색	V	줄	무	늬	가	V	있	었	다	.	

4주

2일 본 것 쓰기

다음은 달래가 동물원을 견학하고 나서 쓴 견학 기록문의 일부분이에요. 잘 읽고, 이어질 내용으로 대동물관에서 본 것을 쓰세요.

동물원 입구를 지나 가장 먼저 간 곳은 제1아프리카관이었다. 제1아프리카관에는 아프리카 초원에서 만날 수 있는 기린, 얼룩말, 타조 등이 있었다. 가장 관심이 갔던 동물은 기린이었다. 긴 목과 옅은 노란색 털에 붉은빛을 띤 갈색 점의 무늬가 눈에 띄었기 때문이다.

제1아프리카관 다음으로 간 곳은 대동물관이었다.

어휘 풀이

▾ **초원**[풀 초 草, 근원 원 原] 풀이 나 있는 들판.
예 내 꿈은 끝없이 펼쳐진 초원 위에서 말을 타 보는 것이다.

▾ **옅은** 빛깔이 보통의 정도보다 흐릿한. 예 오늘 산 코트는 옅은 분홍색이다.

▶정답 및 해설 24쪽

낱말 쓰기

1 단계 다음 사진을 보고, 빈칸에 알맞은 낱말을 보기 에서 각각 골라 쓰세요.

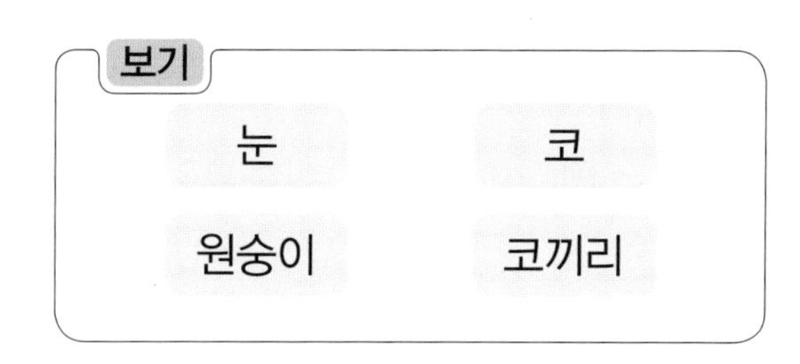

(1) 대동물관에서는 ☐☐☐ 나 코뿔소와 같은 몸집이 큰 동물들을 볼 수 있었다.

(2) 아기 코끼리는 거대한 몸에 긴 ☐ 와 큰 귀를 가진 엄마 코끼리를 졸졸 따라다니고 있었다.

문장 쓰기

2 단계 1에서 쓴 내용을 두 문장으로 정리하여 쓰세요.

❶ 대동물관에서는 ________ 나 코뿔소와 같은 ________ 동물들을 볼 수 있었다.

❷ 아기 코끼리는 거대한 몸에 ________ 와 큰 귀를 가진 엄마 코끼리를 ________ 있었다.

한 편 쓰기

3 단계 2에서 쓴 문장을 넣어 대동물관에서 본 것의 내용을 쓰세요.

대동물관에서는 ❶ ________________________________

____

아기 코끼리는 ❷ ________________________________

____

4주

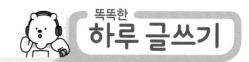

▶정답 및 해설 24쪽

1 낱말 고쳐쓰기

다음 두 낱말의 뜻과 예를 보고, 문장의 밑줄 그은 낱말을 바르게 고쳐 쓰세요.

띠다	빛깔이나 색채 따위를 가지다. 예 그 별은 푸른빛을 띠고 있었다.
띄다	눈에 보이다. 남보다 두드러지다. 예 아무리 찾아도 지우개는 눈에 띄지 않았다.

긴 목과 옅은 노란색 털에 붉은빛을 띈 갈색 점의 무늬가 눈에 띄었기 때문이다.

띈 → ☐

2 문장 고쳐쓰기

다음 친구가 고쳐 쓴 문장 과 같이 밑줄 그은 부분의 띄어쓰기를 바르게 고치고, 문장을 따라 쓰세요.

친구가 고쳐 쓴 문장

아프리카 초원에서 만날수 있는 기린, 얼룩말, 타조 등이 있었다.
→ 아프리카 초원에서 만날 수 있는 기린, 얼룩말, 타조 등이 있었다.

힌트 '수'는 혼자서는 쓸 수 없는 낱말이에요. 앞에 오는 다른 낱말과 함께 써야 하고, 쓸 때에는 띄어 써야 해요.

	동	물	들	이	V	먹	이	를	V	먹	는	V
모	습	을	V	볼	수	도	V	있	다	.		

↓

	동	물	들	이	V	먹	이	를	V	먹	는	V
모	습	을	V		V			V	있	다	.	

똑똑한
하루 글쓰기 마무리

내 생각 쓰기로 하루 마무리

▶정답 및 해설 24쪽

◉ 다음은 각 전시관에서 볼 수 있는 동물들이에요. 하나의 장소를 정해 그 장소와 알맞은 동물에 ○표를 하고, 보기 에서 알맞은 내용을 골라 견학 기록문에 들어갈 내용을 완성하세요.

제2아프리카관

▲ 하마

▲ 미어캣

제3아프리카관

▲ 사자

▲ 치타

보기

하마와 미어캣 등이 생활하고 있었다.　　사자와 치타 등이 생활하고 있었다.

사막의 파수꾼이라는 별명대로 미어캣들이 쉬지 않고 고개를 이리저리 돌리며 주변을 살피는 모습을 볼 수 있었기 때문이다.

동물의 왕이라 불리는 사자지만, 새끼와 함께 있는 모습은 순한 고양이처럼 보였기 때문이다.

마지막으로 간 곳은 (제2아프리카관 , 제3아프리카관)이었다. 그곳에는 ❶ ______________________________

내 눈길을 끈 것은 (미어캣이었다 , 사자였다). ❷ ______________________________

____

제2아프리카관과 제3아프리카관 중 한 전시관을 고르고, 그곳에서 볼 수 있는 것을 써넣어 견학 기록문의 가운데 부분에 들어갈 내용을 완성하세요.

4주

3일 들은 것 쓰기

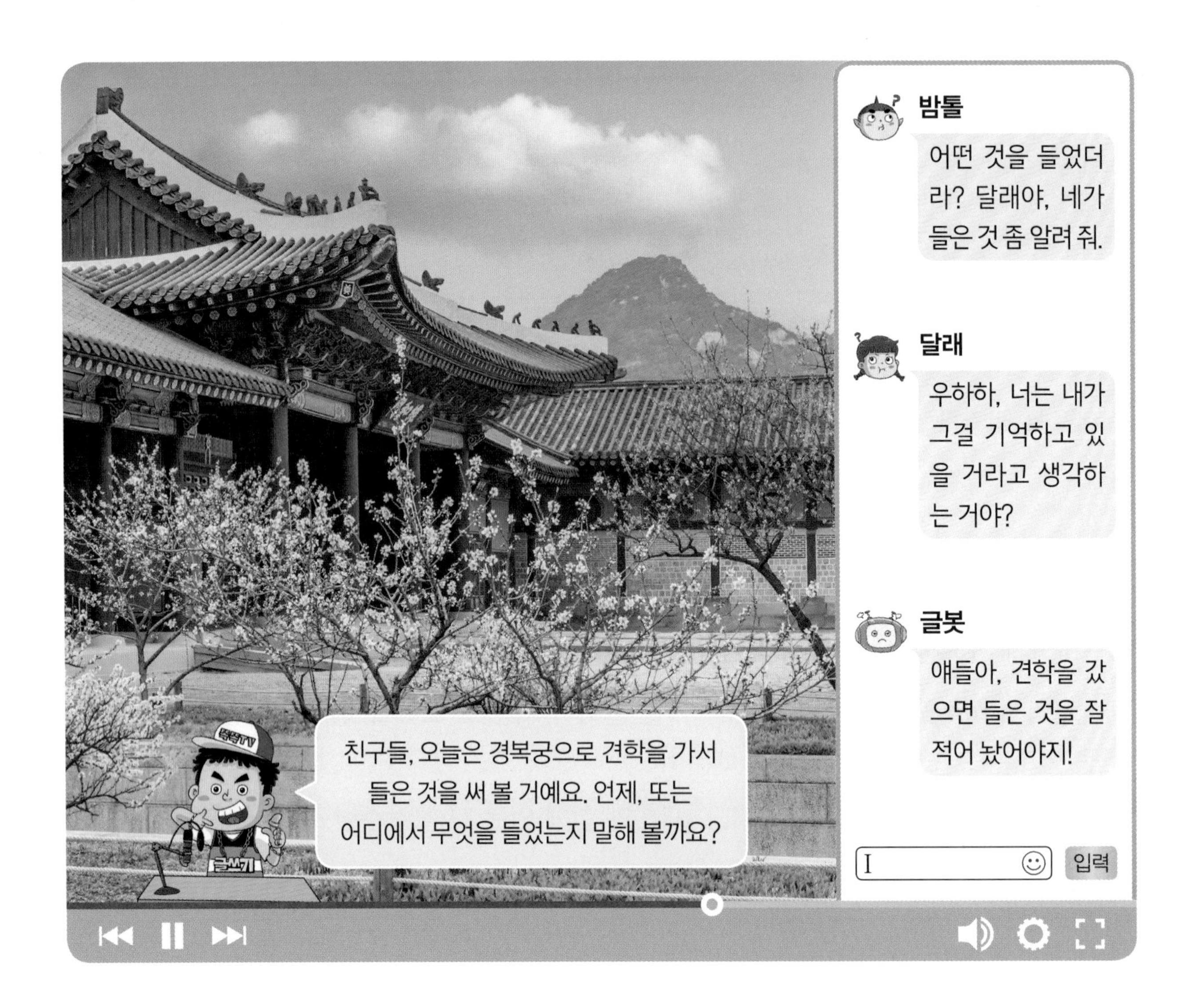

밤톨
어떤 것을 들었더라? 달래야, 네가 들은 것 좀 알려 줘.
달래
우하하, 너는 내가 그걸 기억하고 있을 거라고 생각하는 거야?
글봇
얘들아, 견학을 갔으면 들은 것을 잘 적어 놨어야지!
친구들, 오늘은 경복궁으로 견학을 가서 들은 것을 써 볼 거예요. 언제, 또는 어디에서 무엇을 들었는지 말해 볼까요?
글쓰기
입력

견학을 가서 들은 것을 써라!

견학 기록문의 가운데 부분에는 본 것과 함께 견학을 가서 무엇을 들었는지도 쓸 수 있어요. 견학 기록문에 들은 것을 쓸 때에는 시간의 흐름에 따라 언제 무엇을 들었는지 써도 되고, 장소의 변화에 따라 어디에서 무엇을 들었는지 써도 돼요.

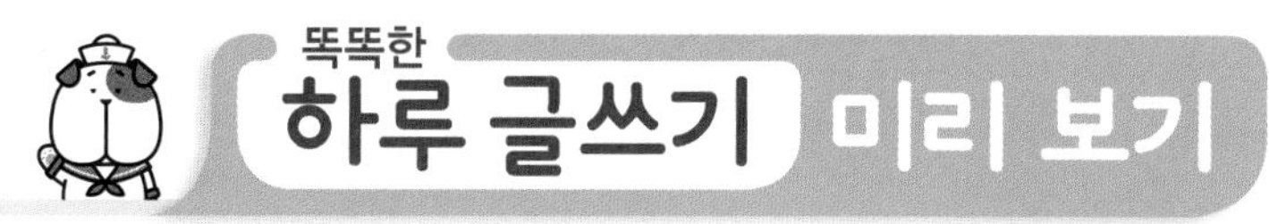

▶정답 및 해설 25쪽

● 견학 기록문에 들은 것을 쓰는 방법에 맞게 빈칸에 알맞은 말을 쓰고, 퍼즐판에서 찾아 ◯표를 하세요.

견학 기록문의 ❶ 부분에는 견학을 가서 무엇을 들었는지 써야 해요.
시간의 흐름에 따라 ❷ 무엇을 들었는지 써요.
언 니 양 말
제 삼 어 디
사 가 운 데
상 수 영 장

장소의 변화에 따라 ❸ 에서 무엇을 들었는지 써도 돼요.

3일 들은 것 쓰기

◉ 다음 대화를 읽고, 견학 기록문에 들어갈 근정전에 대한 내용을 완성하세요.

100%
오늘 경복궁으로 견학을 다녀왔지? 어땠어?
경복궁에 대해 새로운 사실을 많이 알게 되었어.
광화문에서 해태 조각상을 보고, 근정전과 경회루에도 가 보았어.
해태 조각상
근정전
경회루
근정전에 대해 알고 싶어.
근정전은 경복궁에서 가장 크고 웅장한 건물이었어.
선생님께서 '근정전'이라는 이름에는 '부지런히 나라를
다스리라'는 뜻이 담겨 있다고 하셨어.
또 근정전은 왕의 즉위식이나 혼례식 같은
나라의 중요한 행사를 치르던 곳이라고 하셨어.

어휘 풀이

- **웅장**|수컷 웅 雄, 씩씩할 장 壯|**한** 크기나 분위기 등이 무척 크고 무게가 있는.
  예 이 곳은 아주 웅장한 느낌을 주었다.
- **즉위식**|곧 즉 卽, 자리 위 位, 법 식 式| 임금 자리에 오르는 것을 백성과 조상에게 알리기 위하여 치르는 의식. 예 이 옷은 왕이 즉위식 때 입었다고 한다.
- **혼례식**|혼인할 혼 婚, 예도 례 禮, 법 식 式| 부부 관계를 맺는 서약을 하는 의식.
  예 우리 이모께서는 전통 방식으로 혼례식을 치르셨다.

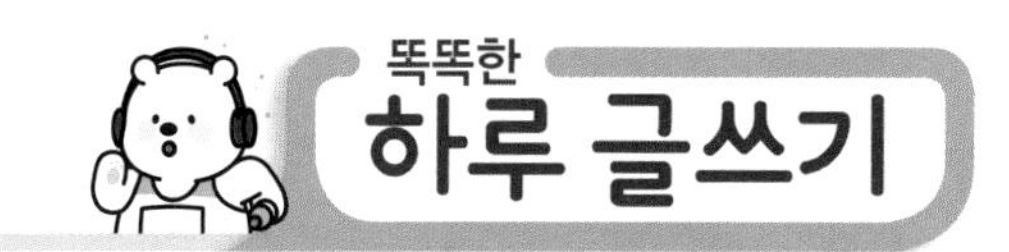

▶ 정답 및 해설 25쪽

낱말 쓰기

다음 사진을 보고, 빈칸에 알맞은 말을 보기 에서 각각 골라 쓰세요.

보기
나라 학교
개업식 즉위식

(1) '근정전'이라는 이름에는 '부지런히 ☐☐를 다스리라'는 뜻이 담겨 있다고 하셨다.

(2) 근정전은 왕의 ☐☐☐이나 혼례식 같은 나라의 중요한 행사를 치르던 곳이라고 하셨다.

문장 쓰기

1에서 쓴 내용을 두 문장으로 정리하여 쓰세요.

❶ 선생님께서 '근정전'이라는 이름에는 '부지런히 ______ '는 뜻이 담겨 있다고 하셨다.

❷ 또 근정전은 왕의 ______ 이나 혼례식 같은 나라의 중요한 ______ 곳이라고 하셨다.

한 편 쓰기

2에서 쓴 문장을 넣어 견학 기록문에 들어갈 근정전에 대한 내용을 완성하세요.

광화문에서 해태 조각상을 보고, 근정전으로 갔다. 근정전은 경복궁에서 가장 크고 웅장한 건물이었다. ❶ ______

______

❷ ______

______

4주

3일 똑똑한 하루 글쓰기 고쳐쓰기

▶정답 및 해설 25쪽

1 낱말 고쳐쓰기

다음 문장의 밑줄 그은 낱말 대신 바꿔 쓰기에 알맞은 낱말을 보기 에서 각각 골라 쓰세요.

보기

국가　　도시　　결혼식　　장례식

또 근정전은 왕의 즉위식이나 혼례식 같은 나라의 중요한 행사를 치르던 곳이라고 하셨어.

→ 또 근정전은 왕의 즉위식이나 □□□ 같은 □□의 중요한 행사를 치르던 곳이라고 하셨어.

2 문장 고쳐쓰기

다음 밤톨이의 말에서 밑줄 그은 부분을 바르게 고치고, 문장을 따라 쓰세요.

'근정전'이라는 이름에는 '부지런이 나라를 다스리라'는 뜻이 담겨 있다고 하셨어.

	'	근	정	전	'	이	라	는	V	이	름
에	는	V	'				V	나	라	를	V
다	스	리	라	'	는	V	뜻	이	V	담	겨 V
있	다	고	V	하	셨	어	.				

'급하다', '부지런하다'와 같이 '-하다'가 붙는 말인 경우에는 '급히', '부지런히'와 같이 대부분 '-히'를 붙여 써요.

▶정답 및 해설 25쪽

● 다음 대화를 읽고, 견학 기록문에 들어갈 경회루에 대한 내용을 완성하세요.

100%
경회루에 대해서도 알려 줘.
선생님께서 경회루는 연못 가운데 섬을 만들고 그 위에 지은 것이라고 하셨어.
또 경회루는 왕이 외국에서 온 손님들이나 신하들에게 잔치를 베풀기 위해 지은 곳이라고 하셨어.
나도 경회루에 가 보고 싶다!

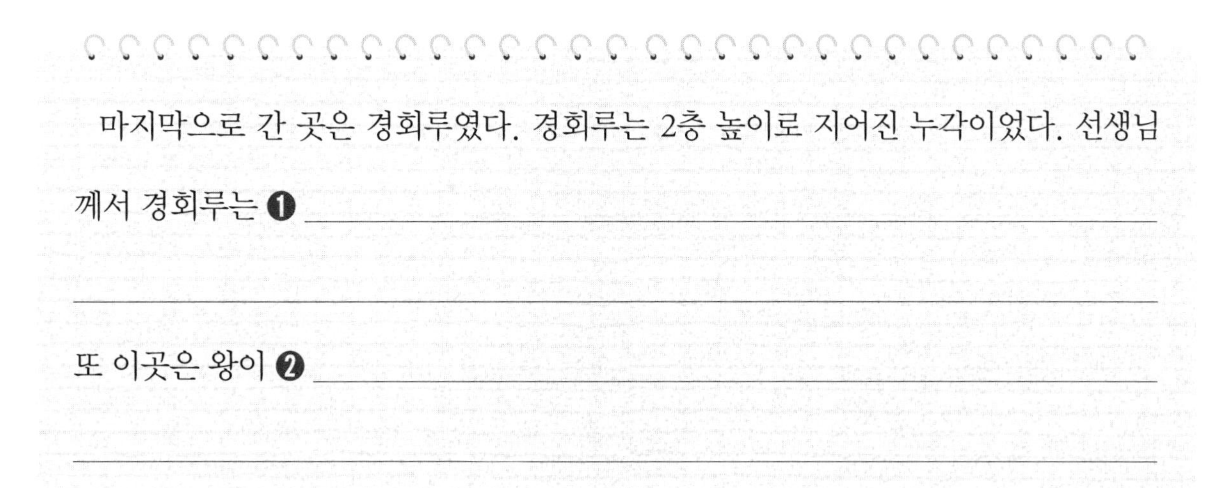

마지막으로 간 곳은 경회루였다. 경회루는 2층 높이로 지어진 누각이었다. 선생님께서 경회루는 ❶ ____________________

____

또 이곳은 왕이 ❷ ____________________

____

힌트

밤톨이와 달래가 선생님께 경회루에 대해 들은 내용을 정리하여 견학 기록문에 들어갈 경회루에 대한 내용을 완성해 보세요.

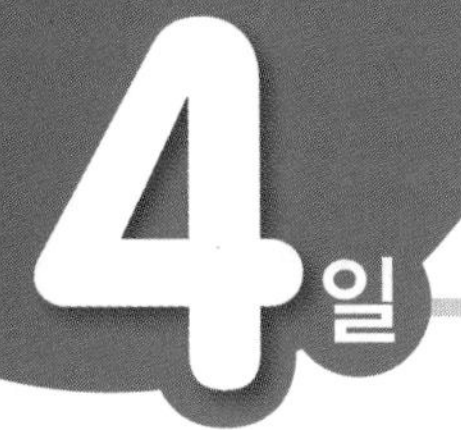

생각하거나 느낀 것 쓰기

견학을 가서 생각하거나 느낀 것을 써라!

견학 기록문의 끝부분에는 견학을 가서 생각하거나 느낀 것을 써요.
견학을 가서 보거나 들어서 알게 된 사실에 대해 어떤 생각이나 느낌이 들었는지, 어떤 점을 깨닫게 되었는지 등을 쓰면 된답니다.

똑똑한
하루 글쓰기 미리 보기

▶ 정답 및 해설 26쪽

● 사다리 타기를 하여 도착한 곳의 낱말을 따라 쓰며, 견학 기록문에 생각하거나 느낀 것을 쓰는 방법을 알아보아요.

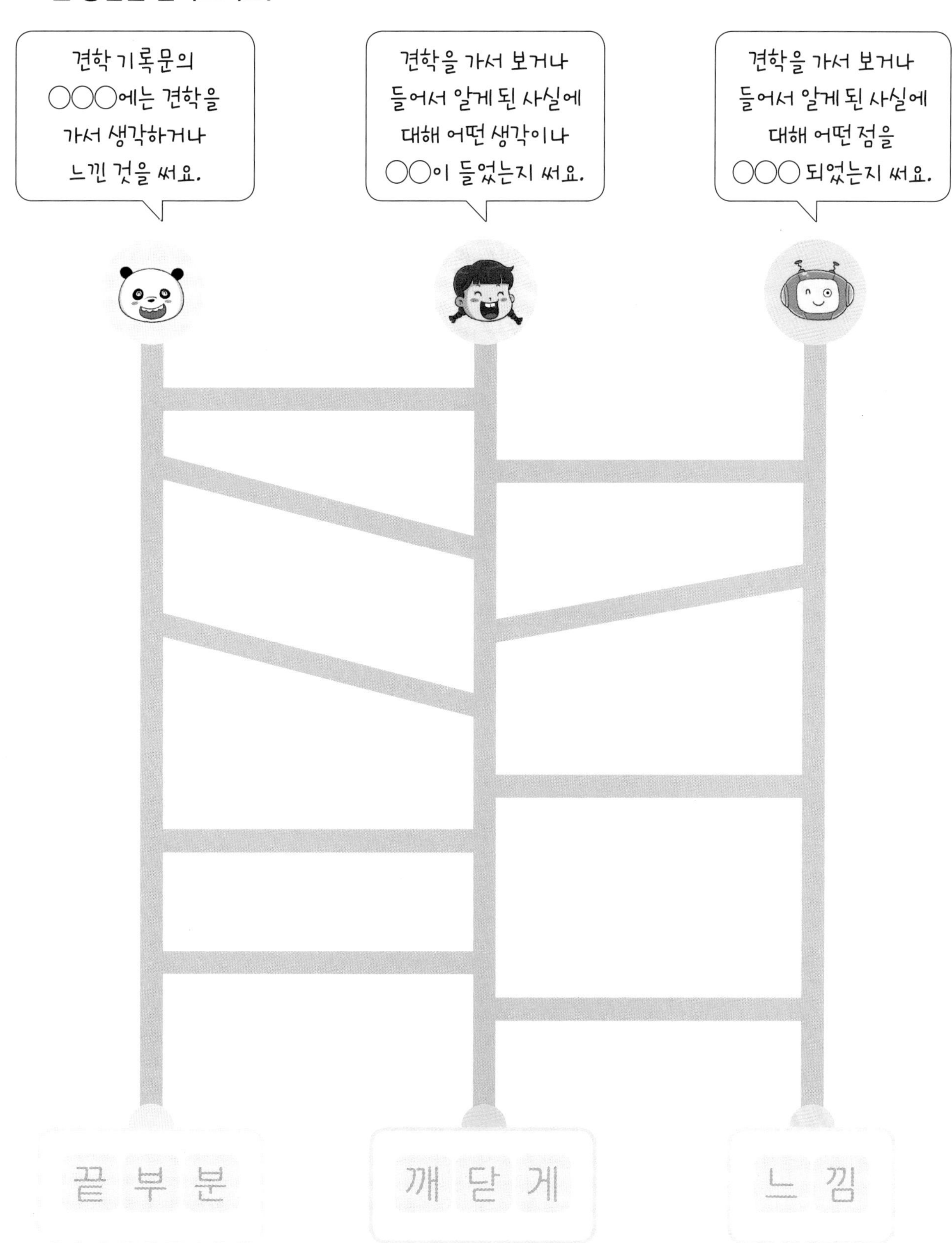
견학 기록문의 ○○○에는 견학을 가서 생각하거나 느낀 것을 써요.
견학을 가서 보거나 들어서 알게 된 사실에 대해 어떤 생각이나 ○○이 들었는지 써요.
견학을 가서 보거나 들어서 알게 된 사실에 대해 어떤 점을 ○○○ 되었는지 써요.
끝 부 분
깨 닫 게
느 낌

생각하거나 느낀 것 쓰기

● 다음 내용을 바탕으로 ㉠ 안에 들어갈 생각하거나 느낀 것을 쓰세요.

견학 기록문을 쓰기 위해 떠올린 내용

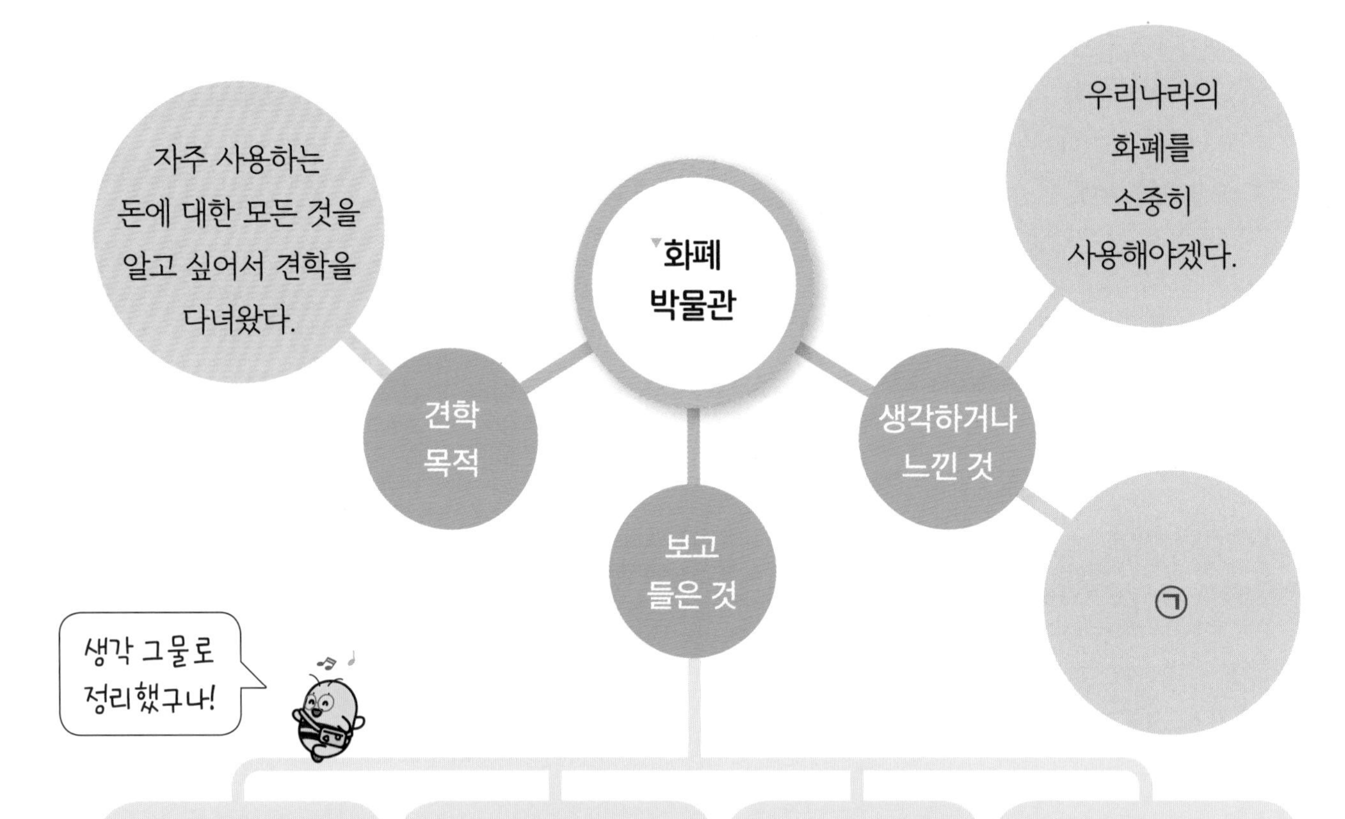

화폐 박물관
견학 목적
자주 사용하는 돈에 대한 모든 것을 알고 싶어서 견학을 다녀왔다.
보고 들은 것
생각하거나 느낀 것
우리나라의 화폐를 소중히 사용해야겠다.
㉠
생각 그물로 정리했구나!

우리나라 화폐의 역사를 한눈에 볼 수 있었고, 화폐에 어떤 그림들이 그려져 있는지 보았다.	화폐에 우리나라 위인의 초상을 그리는 까닭은 위인을 기리고 화폐의 신뢰도를 높이기 위해서라고 한다.	우리나라 화폐에 숨어 있는 위조를 막을 수 있는 장치들을 보았다.	화폐를 만져 보고, 기울여 보고, 빛에 비춰 보면 진짜인지 가짜인지 확인해 볼 수 있다고 한다.

어휘 풀이

▼ **화폐**|재화 화 貨, 비단 폐 幣| 상품을 사고팔거나 다른 상품과 교환할 때 상품의 가치를 매기는 기준이 되며, 상품과 교환할 수 있는 수단이 되는 것. 예 달러는 미국의 화폐이다.

▼ **기리고** 뛰어난 업적이나 본받을 만한 정신, 위대한 사람 등을 칭찬하고 기억하고.
예 청와대에서 독립운동을 기리고 기념하는 행사가 열렸다.

▼ **위조**|거짓 위 僞, 지을 조 造| 남을 속이려고 물건이나 문서를 진짜처럼 만듦. 예 이것은 위조한 돈이다.

▶정답 및 해설 26쪽

낱말 쓰기

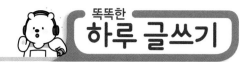

1 단계 **다음은 화폐박물관을 견학하고 보거나 들어서 알게 된 사실을 정리한 것이에요. 빈칸에 알맞은 말을 쓰세요.**

▲ 오만 원권에 숨어 있는 **위조**를 막을 수 있는 장치들

우리나라 화폐에는 ㅇ ㅈ 를 막을 수 있는 장치들이 많이 숨어 있다. 화폐를 만져 보고, 기울여 보고, 빛에 비춰 보면 진짜인지 가짜인지 확인해 볼 수 있다.

문장 쓰기

2 단계 **1에서 정리한 사실에 대해 생각하거나 느낀 것이 잘 드러나도록 보기 에서 알맞은 내용을 각각 골라 쓰세요.**

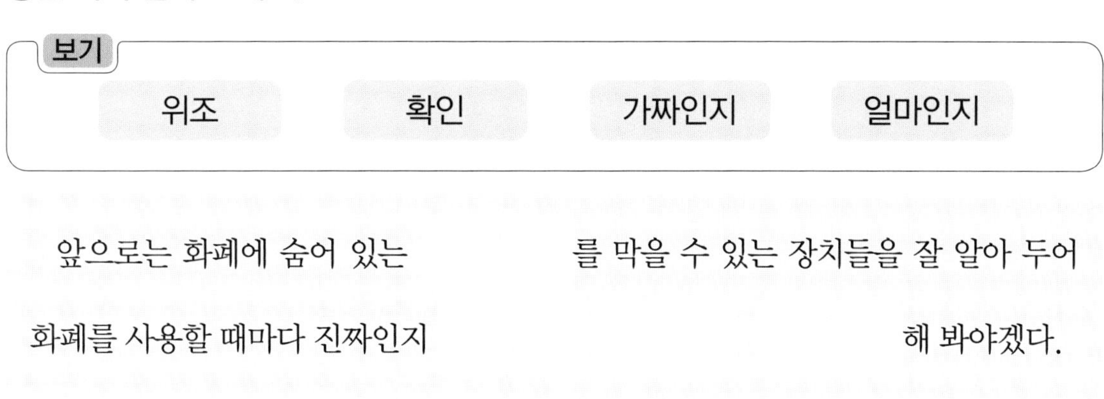

보기

위조 확인 가짜인지 얼마인지

앞으로는 화폐에 숨어 있는 ____________ 를 막을 수 있는 장치들을 잘 알아 두어 화폐를 사용할 때마다 진짜인지 ____________ 해 봐야겠다.

한 편 쓰기

3 단계 **2에서 쓴 문장을 넣어 견학 기록문에 들어갈 생각하거나 느낀 것을 쓰세요.**

4 주

4일 똑똑한 하루 글쓰기 고쳐쓰기

▶정답 및 해설 26쪽

1 낱말 고쳐쓰기

다음 문장의 밑줄 그은 낱말 대신 바꿔 쓰기에 알맞은 낱말을 보기 에서 각각 골라 쓰세요.

보기

금	돈	귀중히	훌륭히

우리나라의 화폐를 소중히 사용해야겠다.

→ 우리나라의 ☐ 을 ☐☐☐ 사용해야겠다.

2 문장 고쳐쓰기

다음 친구가 쓴 문장 에서 밑줄 그은 부분을 바르게 고치고, 문장을 따라 쓰세요.

친구가 쓴 문장

화폐를 만저 보고, 기울여 보고, 빛에 비쳐 보면 진짜인지 가짜인지 확인해 볼 수 있다고 한다.

	화	폐	를	V			V	보	고	,	기
울	여	V	보	고	,	빛	에	V			V
보	면	V	진	짜	인	지	V	가	짜	인	지 V
확	인	해	V	볼	V	수	V	있	다	고	V
한	다	.									

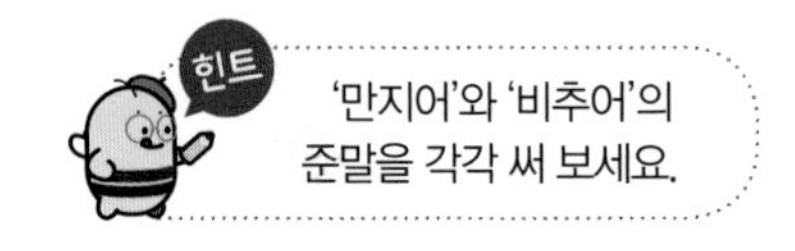

힌트
'만지어'와 '비추어'의 준말을 각각 써 보세요.

똑똑한 하루 글쓰기 마무리

내 생각 쓰기로 하루 마무리

▶ 정답 및 해설 26쪽

● 다음은 화폐박물관으로 견학을 다녀와서 쓴 견학 기록문이에요. 보기 의 내용 중 알게 된 사실에 대해 생각하거나 느낀 것이 잘 드러난 문장을 한 가지 골라 견학 기록문을 완성해 보세요.

보기

여러 과정을 거쳐 발달해 온 우리나라의 화폐를 소중히 사용해야겠다.

나도 이다음에 훌륭한 업적을 남겨 화폐에 내 얼굴이 들어가면 좋겠다고 생각했다.

견학 장소	화폐박물관
날짜	20○○년 10월 11일
견학 목적	자주 사용하는 돈에 대한 모든 것을 알고 싶어서이다.
보고 들은 것	우리나라 화폐의 역사를 한눈에 볼 수 있었고, 화폐에 어떤 그림들이 그려져 있는지 보았다. 화폐에 우리나라 위인의 초상을 그리는 까닭은 위인을 기리고 화폐의 신뢰도를 높이기 위해서라고 한다. 우리나라 화폐에 숨어 있는 위조를 막을 수 있는 장치들도 보았다. 화폐를 만져 보고, 기울여 보고, 빛에 비춰 보면 진짜인지 가짜인지 확인해 볼 수 있다고 한다.
생각하거나 느낀 것	

견학 기록문에서 '보고 들은 것' 부분을 다시 한번 잘 읽어 보고,
그에 대해 어떤 생각이나 느낌이 들었는지
보기 에서 마음에 드는 내용을 한 가지 골라 쓰세요.
어떤 내용을 넣어도 모두 답이 될 수 있답니다.

5일 견학 기록문 쓰기

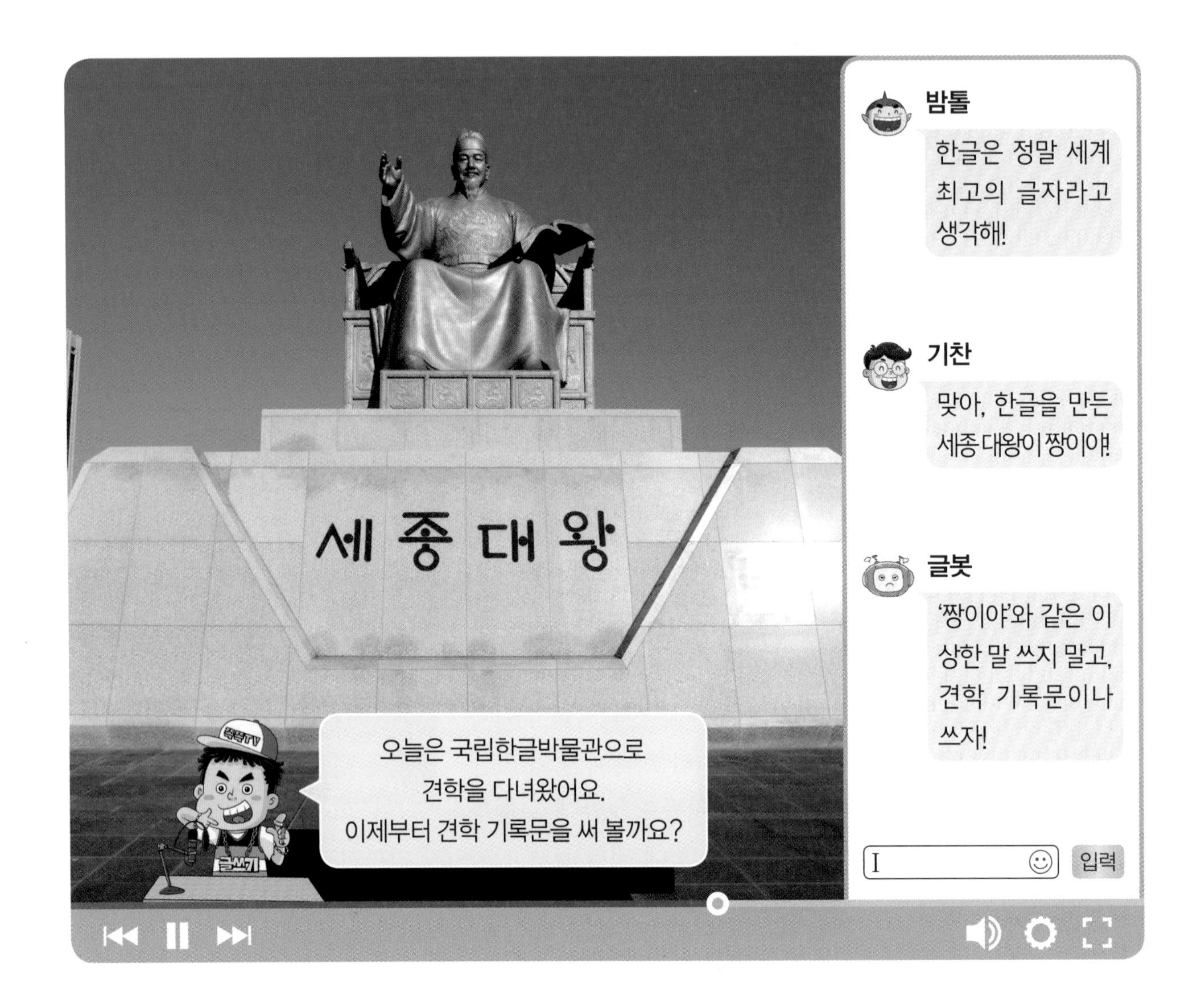

세종대왕
오늘은 국립한글박물관으로
견학을 다녀왔어요.
이제부터 견학 기록문을 써 볼까요?
글쓰기
밤톨
한글은 정말 세계 최고의 글자라고 생각해!
기찬
맞아, 한글을 만든 세종 대왕이 짱이야!
글봇
'짱이야'와 같은 이상한 말 쓰지 말고, 견학 기록문이나 쓰자!
입력

견학을 다녀와서 견학 기록문을 써라!

견학 기록문에는 견학한 장소와 날짜, 견학 목적, 본 것, 들은 것, 견학을 하면서 생각하거나 느낀 것 등을 써야 해요.

견학을 다녀와서 알게 된 사실을 중심으로 견학 기록문을 써 보아요.

▶정답 및 해설 27쪽

● 견학 기록문을 쓰는 방법에 맞게 빈칸에 알맞은 말을 따라 쓰세요.

견학 기록문에는 견학한 장 소 와 날 짜 , 견학 목 적 , 본 것 , 들 은 것 , 견학을 하면서 생 각 하거나 느 낀 것 등을 써야 해요.

● 위에서 따라 쓴 말을 모두 찾아 색칠해 보고, 어떤 모양이 나오는지 알아보아요.

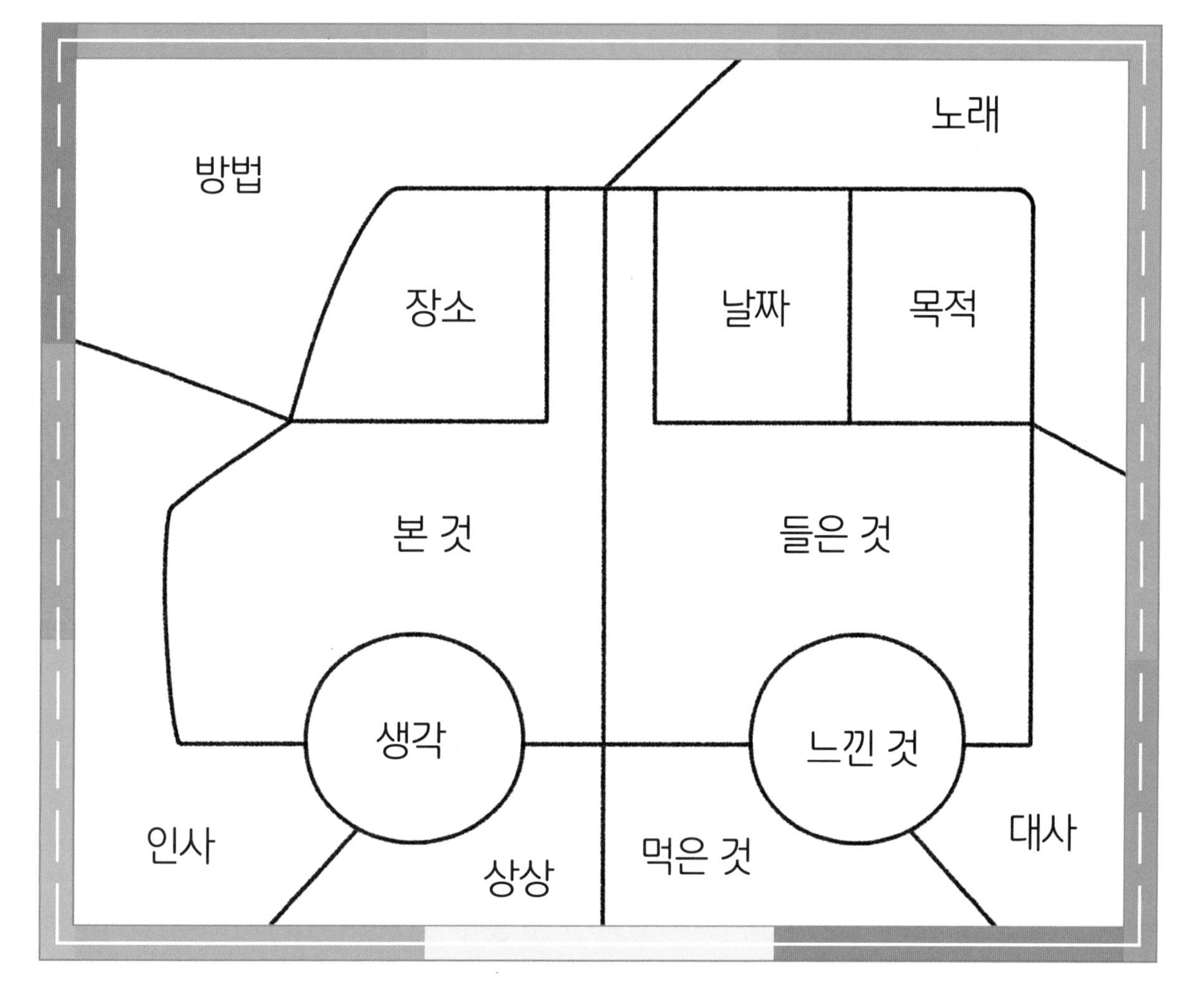

5일 견학 기록문 쓰기

◉ 다음 만화를 읽고, 견학 기록문에 들어갈 내용을 쓰세요.

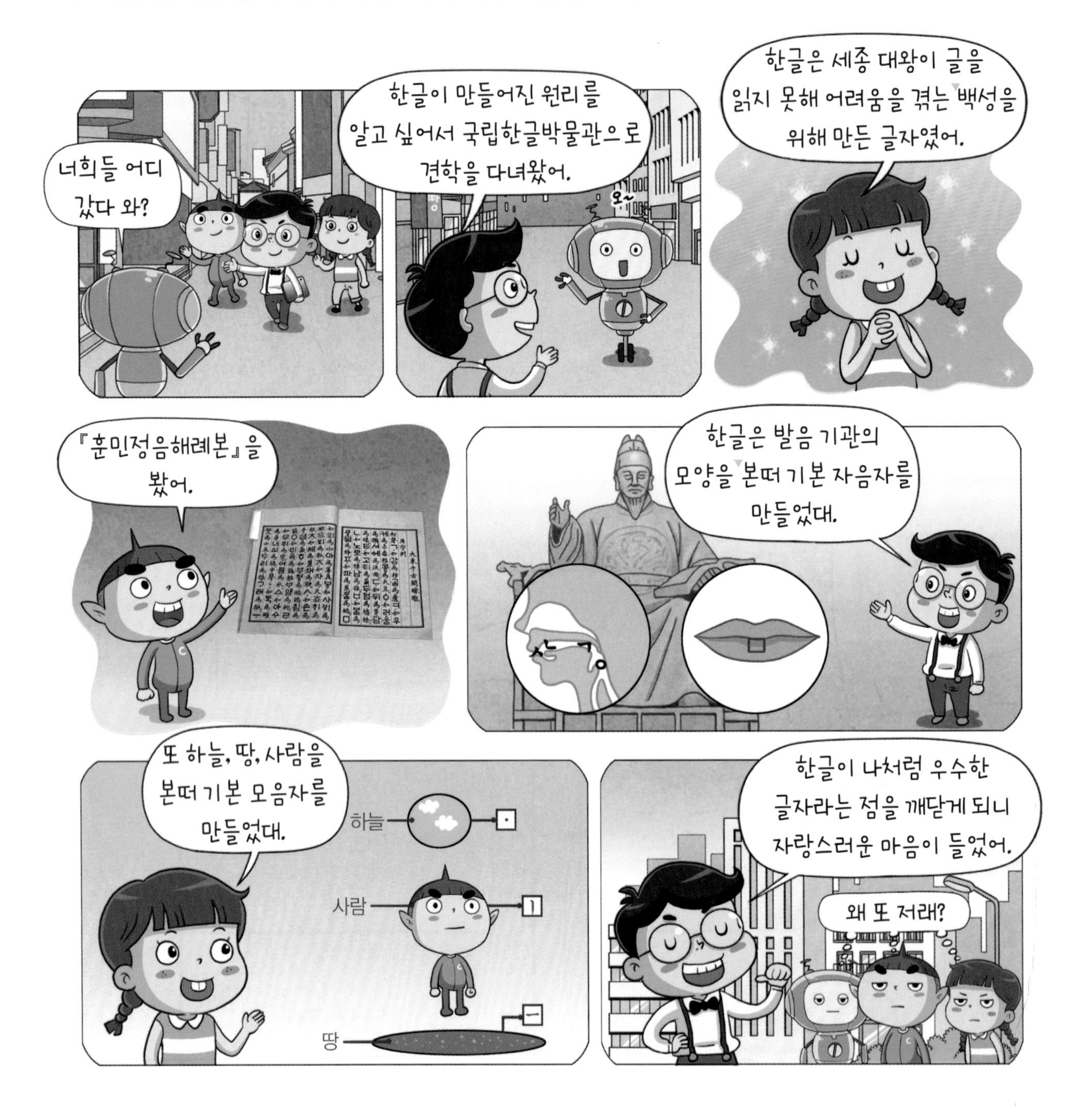

어휘 풀이

- **백성**|일백 백 百, 성씨 성 姓| 나라의 근본이 되는 국민. 예 세종 대왕은 백성을 무척 사랑하는 왕이었다.
- **본떠** 이미 있는 것을 그대로 따라서 만들어. 예 엄마께서 동물 모양을 본떠 케이크를 만들어 주셨다.

▶정답 및 해설 27쪽

낱말 쓰기

국립한글박물관으로 견학을 간 목적에 맞게 빈칸에 알맞은 낱말을 보기 에서 각각 골라 쓰세요.

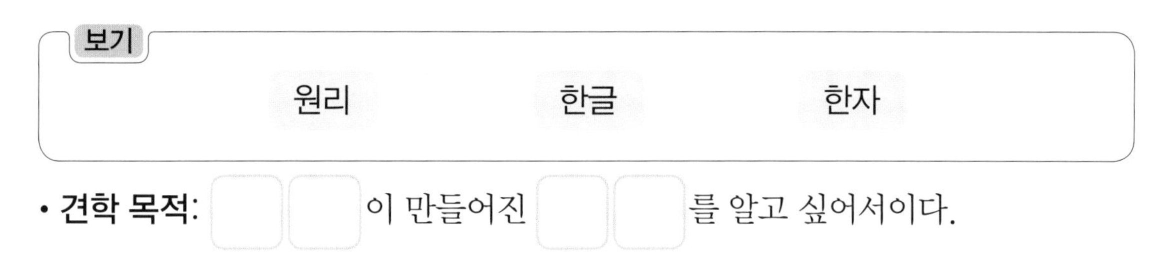

보기

원리 한글 한자

• **견학 목적:** ☐☐이 만들어진 ☐☐를 알고 싶어서이다.

문장 쓰기

국립한글박물관에서 보고 들은 것의 내용을 두 문장으로 쓰세요.

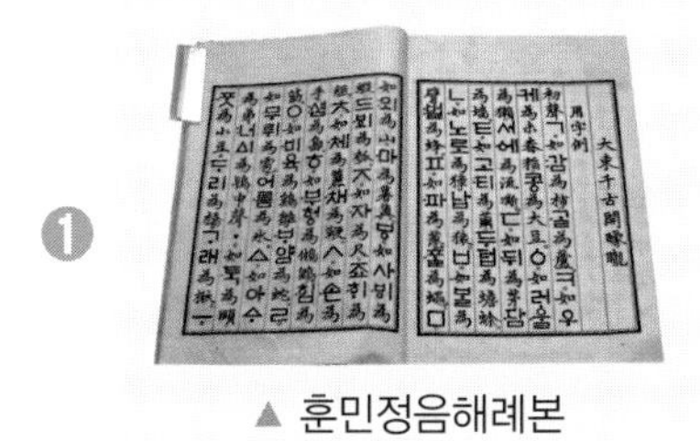

▲ 훈민정음해례본

❶ 『 』을 봤다.

발음 기관의 모양을 본떠
기본 자음자를 만들었대.

❷

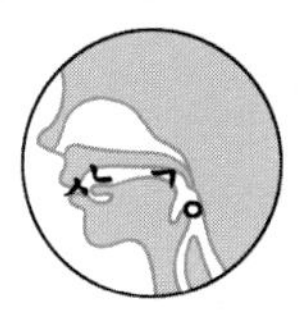

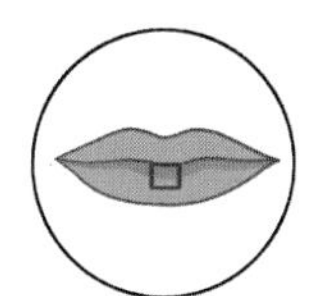

한글은 기본 자음자를 만들고, 하늘, 땅, 사람을 본떠 기본 모음자를 만들었다고 한다.

한 편 쓰기

2에서 쓴 보고 들은 것에 대해 생각하거나 느낀 것을 보기 에서 한 가지 골라 쓰세요.

보기

과학적이고 우수한 한글의 소중함을 깨닫고 바르게 써야겠다고 생각했다.

한글이 우수하고 과학적이라는 사실을 깨닫게 되니 자랑스러운 마음이 들었다.

4주

▶정답 및 해설 27쪽

1 낱말 고쳐쓰기

다음 설명을 잘 읽고, 밑줄 그은 낱말을 바르게 고쳐 쓰세요.

-데	말하는 사람이 예전에 겪었던 일을 말할 때 쓰임.
-대	다른 사람에게 들은 말을 전할 때 쓰임.

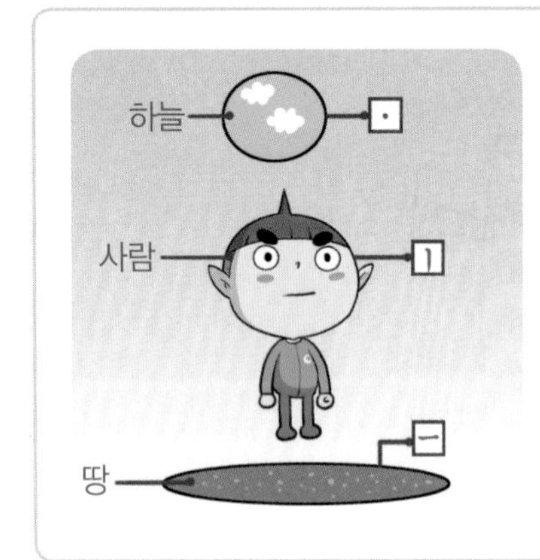

하늘, 땅, 사람을 본떠 기본 모음자를 만들었데.

→ 하늘, 땅, 사람을 본떠 기본 모음자를

.

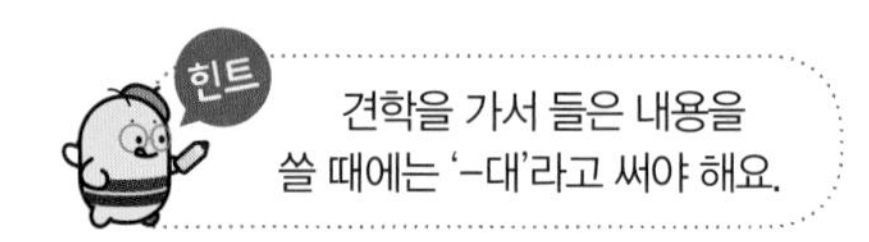

힌트
견학을 가서 들은 내용을
쓸 때에는 '-대'라고 써야 해요.

2 문장 고쳐쓰기

다음 달래의 말에서 밑줄 그은 부분을 바르게 고치고, 문장을 따라 쓰세요.

한글은 세종 대왕이
글을 익지 못해 어려움을 격는
백성을 위해 만든 글자였어.

	한	글	은	V	세	종	V	대	왕	이	V
글	을	V			V	못	해	V	어	려	움
을	V			V	백	성	을	V	위	해	V
만	든	V	글	자	였	어	.				

▶정답 및 해설 27쪽

◉ 견학을 다녀왔던 경험을 떠올려 견학 기록문을 쓰세요.

견학 장소	
날짜	
견학 목적	
보고 들은 것	
생각하거나 느낀 것	

먼저 어디를, 언제, 왜 갔는지 쓴 다음, 그곳에서 보고 들은 것을 정리하여 써 보세요. 마지막으로 보거나 들어서 알게 된 사실에 대해 어떤 생각이나 느낌이 들었는지, 어떤 점을 깨닫게 되었는지 써 보세요.

생활 어휘 다음 만화를 보며 속담의 뜻을 알아보고, 상황에 맞게 속담을 써 보세요.

똥 묻은 개가 겨 묻은 개 나무란다

▼ **겨** 벼, 보리, 조 따위의 곡식을 찧어 벗겨 낸 껍질을 통틀어 이르는 말.

▶정답 및 해설 28쪽

속담의 뜻을 알아봐요!

똥 묻은 개가 겨 묻은 개 나무란다

이 속담은 "자기는 더 큰 잘못이 있으면서 도리어 남의 작은 잘못을 흉본다."라는 뜻이랍니다.

이제 이 속담을 넣어 상황에 맞게 써 볼까요?

"□□□□□□ □□□□□□□"더니 0점 맞은 짝꿍이 30점 맞은 나를 놀렸다.

◉ 달래가 직업 체험 테마 공원으로 견학을 가려고 해요. 어떤 길로 가야 할지 낱말과 뜻이 알맞게 적힌 표지판을 따라 선으로 이어 보세요.

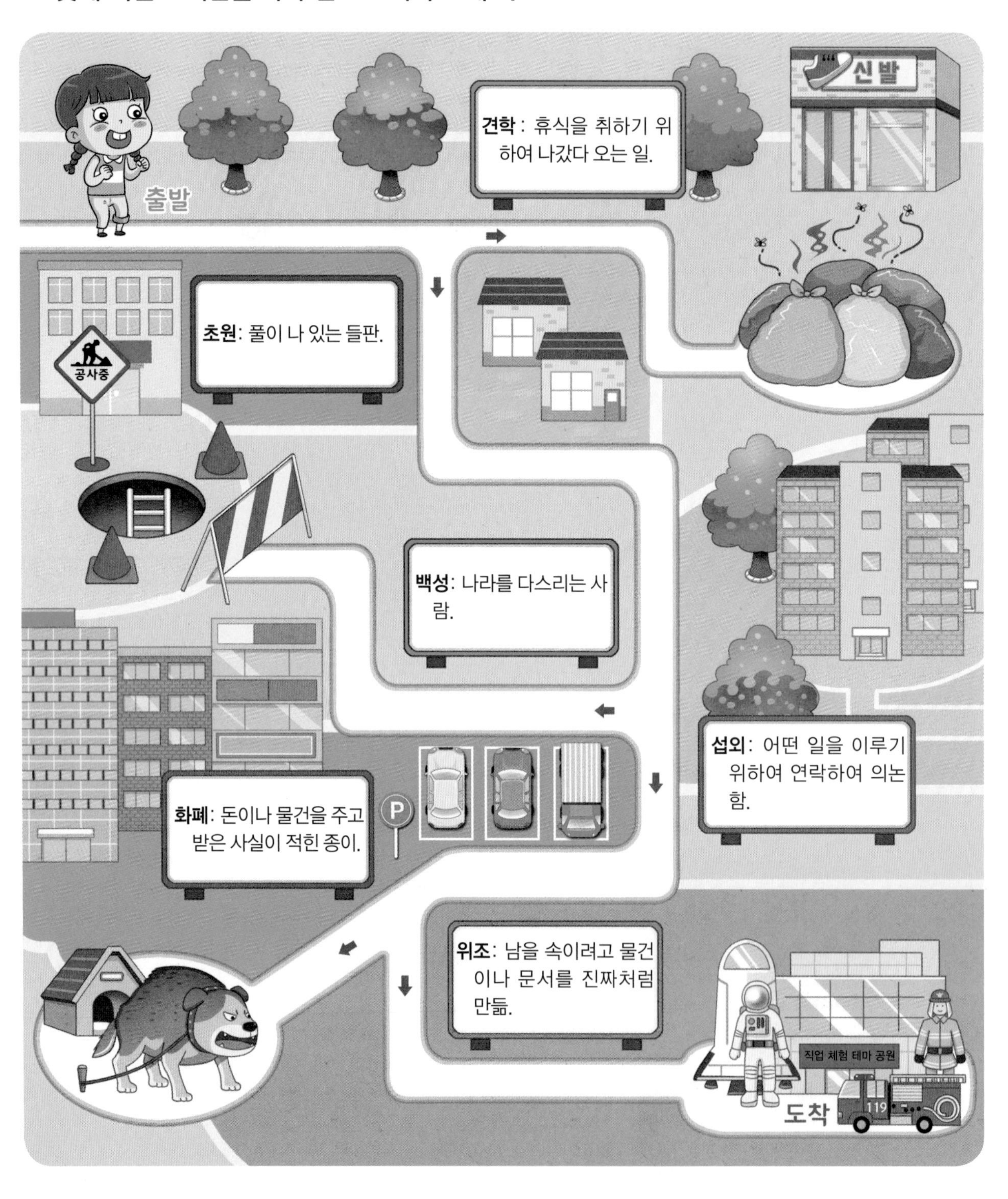
출발
신발
견학 : 휴식을 취하기 위하여 나갔다 오는 일.
초원: 풀이 나 있는 들판.
공사중
백성: 나라를 다스리는 사람.
섭외: 어떤 일을 이루기 위하여 연락하여 의논함.
화폐: 돈이나 물건을 주고 받은 사실이 적힌 종이.
P
위조: 남을 속이려고 물건이나 문서를 진짜처럼 만듦.
직업 체험 테마 공원
119
도착

창의 4주에 쓰인 **낱말과 그 뜻**을 익히며 직업 체험 테마 공원으로 가는 길을 찾아봅니다.

▶ 정답 및 해설 28쪽

◉ 게임의 코딩 명령을 따라가면 어떤 동물들을 볼 수 있는지 모두 쓰세요.

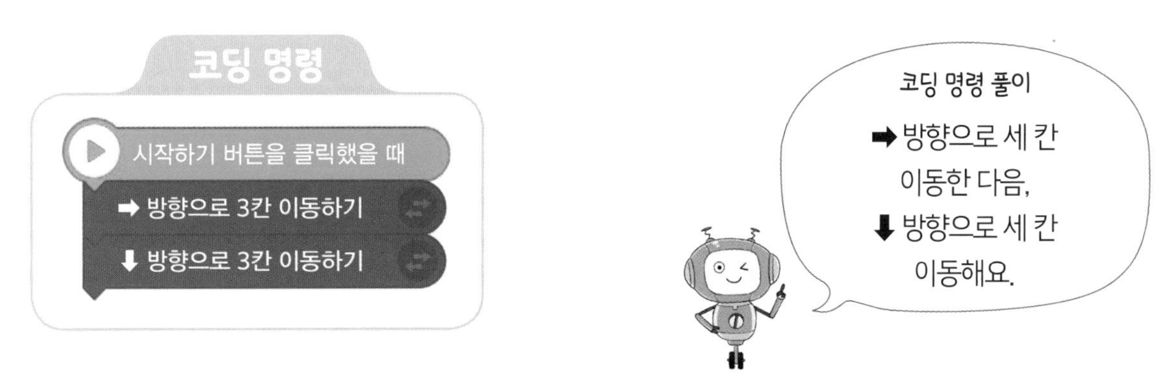

코딩 명령을 따라가면 기린, [ㅌ][ㅈ], [ㅇ][ㄹ][ㅁ]을 볼 수 있어요.

코딩 **코딩 명령**을 따라 이동하면 **어떤 동물들**을 지나게 되는지 알아봅니다.

◉ 현솔이가 마트에 가서 물건을 사고 계산을 하려고 해요. 물건의 값으로 낸 화폐로 알맞은 것을 골라 ○표를 하세요.

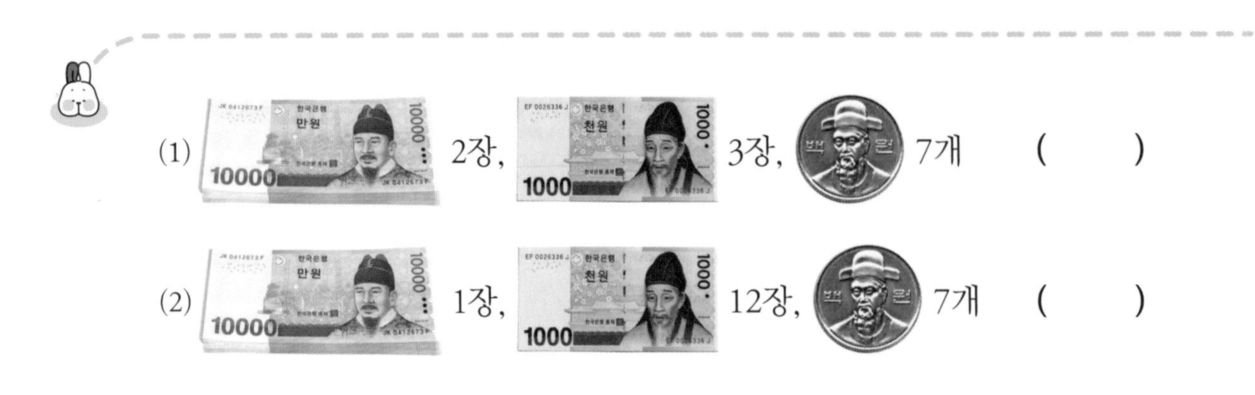

(1) 10000 2장, 1000 3장, 100 7개 (　　)

(2) 10000 1장, 1000 12장, 100 7개 (　　)

융합 국어+수학

화폐박물관을 견학하며 알게 된 화폐에 대한 사실을 떠올리며 마트에서 산 **물건의 값에 알맞은 화폐의 개수**를 알아봅니다.

▶정답 및 해설 28쪽

◉ 국립한글박물관으로 견학을 다녀온 뒤 선생님께서 숙제를 내 주셨어요. 숙제를 잘 읽고, 숨어 있는 자음자를 다섯 개 찾아 ○표를 해 보세요.

다음 그림에서 발음 기관의 모양을 본떠 만든 기본 자음자 다섯 개를 찾아보세요.

ㄱ ㄴ ㅁ ㅅ ㅇ

 **창의** 국립한글박물관을 견학하며 알게 된 한글에 대한 사실을 떠올리며 **기본 자음자 다섯 개**를 찾아봅니다.

4주 누구나 100점 테스트

1 견학 기록문에 대해 알맞게 말한 친구는 누구인지 이름을 쓰세요.

> **달래**: 오늘 있었던 일과 그 일에 대한 생각이나 느낌을 쓴 글이야.
> **밤톨**: 어떤 장소를 다녀온 뒤에 알게 된 사실을 중심으로 보고 듣고 생각하거나 느낀 것을 기록한 글이야.

( )

2 다음은 견학 기록문에 들어갈 내용 중 무엇에 해당하는지 두 가지를 고르세요. ( )

> 나에게 꼭 맞는 직업이 무엇인지 알고 싶어서 직업 체험 테마 공원에 다녀왔다.

① 본 것 ② 들은 것
③ 견학 목적 ④ 견학 장소
⑤ 생각하거나 느낀 것

글쓰기

3 다음 문장에서 밑줄 그은 낱말을 바르게 고치고, 문장을 따라 쓰세요.

> 내가 어른이 <u>됀</u> 것처럼 느껴졌다.

내 가 V 어 른
이 V V 것 처
렴 V 느 껴 졌 다 .

[4~5] 다음 글을 읽고, 물음에 답하세요.

> 제1아프리카관 다음으로 간 곳은 대동물관이었다. 대동물관에서는 코끼리나 코뿔소와 같은 몸집이 큰 동물들을 볼 수 있었다. 아기 코끼리는 거대한 몸에 긴 코와 큰 귀를 가진 엄마 코끼리를 졸졸 따라다니고 있었다.

4 코끼리와 코뿔소를 본 곳은 어디인지 골라 ○표를 하세요.

(1) 대동물관 ( )
(2) 제1아프리카관 ( )

5 글쓴이가 견학을 가서 본 것으로 알맞은 것을 골라 ○표를 하세요.

(1)  ( )

(2)  ( )

▶ 정답 및 해설 29쪽

[6~7] 다음 글을 읽고, 물음에 답하세요.

광화문에서 해태 조각상을 보고, 근정전으로 갔다. 근정전은 경복궁에서 가장 크고 웅장한 건물이었다. 선생님께서 '근정전'이라는 이름에는 '부지런히 ㉠나라를 다스리라'는 뜻이 담겨 있다고 하셨다.

또 근정전은 왕의 즉위식이나 혼례식 같은 나라의 중요한 행사를 치르던 곳이라고 하셨다.

▲ 근정전

6 ㉠과 뜻이 비슷한 낱말은 무엇인가요? (　　　)

① 국가　② 도시
③ 마을　④ 동네
⑤ 가정

7 글쓴이가 들은 내용이 아닌 것을 찾아 ×표를 하세요.

(1) 광화문에서 해태 조각상을 보았다. (　　　)

(2) '근정전'이라는 이름에는 '부지런히 나라를 다스리라'는 뜻이 담겨 있다. (　　　)

(3) 근정전은 왕의 즉위식이나 혼례식 같은 나라의 중요한 행사를 치르던 곳이다. (　　　)

[8~9] 다음 글을 읽고, 물음에 답하세요.

앞으로는 화폐에 숨어 있는 위조를 막을 수 있는 장치들을 잘 알아 두어 화폐를 사용할 때마다 진짜인지 가짜인지 확인해 봐야겠다.

8 이 글의 내용으로 보아, 견학 장소는 어디일지 골라 ○표를 하세요.

(화폐박물관 , 국립한글박물관)

9 이 글은 견학 기록문에 들어갈 내용 중 무엇에 해당하는지 고르세요. (　　　)

① 본 것　② 들은 것
③ 견학 목적　④ 견학 날짜
⑤ 생각하거나 느낀 것

글쓰기

10 다음은 국립한글박물관으로 견학을 다녀와서 생각하거나 느낀 것을 쓴 것이에요. 빈칸에 알맞은 낱말을 보기 에서 골라 문장을 완성하고, 따라 쓰세요.

보기

영어　한글　한문

			의	V	소
중	함	을	V	알	고
바	르	게	V	써	야
겠	다	.			

V

똑똑한 하루 글쓰기 한권 끝!

글쓰기 공부 하느라 수고했어요.
교재를 꾸준히 잘 풀었는지 돌아보고 ◯표를 하세요.

약속한 사람 ________

첫째, 하루하루 빠짐없이 꾸준히 공부했나요?	예	아니요
둘째, 하루 글쓰기 문제를 끝까지 다 풀었나요?	예	아니요
셋째, 또박또박 바르게 글씨를 썼나요?	예	아니요

아쉽고 부족한 부분을 스스로 돌아보고,
다음 단계를 공부할 때에는 더 열심히 해 봐요!

똑똑한

하루

시/리/즈

쉽다!

10분이면 하루치 공부를 마칠 수 있는 커리큘럼으로,
아이들이 초등 학습에 쉽고 재미있게 접근할 수 있도록 구성하였습니다.

재미있다!

교과서는 물론 생활 속에서 쉽게 접할 수 있는 다양한 소재와
재미있는 게임 형식의 문제로 흥미로운 학습이 가능합니다.

똑똑하다!

초등학생에게 꼭 필요한 학습 지식 습득은 물론
창의력 확장까지 가능한 교재로 올바른 공부 습관을 가지는 데 도움을 줍니다.

기초
학습능력 강화
프로그램

똑 똑 한
하루 글쓰기

천재교육

정답 및 해설
포인트 3가지

- 혼자서도 이해할 수 있는 친절한 문제 풀이
- 문제 해결에 도움을 주는 '더 알아보기'와
  틀린 부분을 짚어 주는 '왜 틀렸을까?'
- 예시 답안과 단계별 채점 기준 제시로
  실전 서술형 문항 완벽 대비

똑 똑 한

하루 글쓰기

정답 및 해설

10~11쪽 1주에는 무엇을 공부할까? ❷

1-1 (1) ○ 1-2 관 찰 일 기
2-1 (3) × 2-2 관찰 내용, 생각이나 느낌

1-1 관찰 일기는 어떤 대상을 관찰한 내용을 적는 일기입니다.

(왜 틀렸을까?)
여행하면서 보고, 듣고, 느끼고, 겪은 것을 자유롭게 쓴 일기는 여행 일기입니다.

1-2 두 친구는 각각 병아리와 상추를 관찰하고 그 내용을 적으려고 하고 있으므로 관찰 일기를 쓰면 됩니다.

2-1 즐거웠던 일은 관찰 일기에 들어갈 내용이 아닙니다.

2-2 관찰 일기에는 관찰한 날짜, 날씨, 장소, 대상, 대상을 관찰한 방법, 관찰 내용, 생각이나 느낌 등을 씁니다.

1일

13쪽 똑똑한 하루 글쓰기 미리 보기

관찰 일기는 어떤 대상을 관 찰 한 내용을 적는 일기예요.

관찰 일기에는 그날 자신이 본 동물이나 식 물 등에 대한 내용을 써요.

관찰 일기에는 관찰한 날짜, 날씨, 장소와 대상을 쓰고, 대상을 관찰한 방 법 도 함께 써요.

14~15쪽 똑똑한 하루 글쓰기

1 (1) 정원에서 찾은 달 팽 이 를 관찰하였다.
(2) 돋 보 기 로 달팽이를 자세히 관찰하였다.

2 ❶ 정 원 에 서 찾 은 달 팽 이 를 관찰하였다.
❷ 돋 보 기 로 달 팽 이 를 자세히 관찰하였다.

3 ❶ 예 정원에서 찾은 달팽이를 관찰하였다.
❷ 예 돋보기로 달팽이를 자세히 관찰하였다.

1 밤톨이는 정원에서 찾은 달팽이를 돋보기로 자세히 관찰하였습니다.

2 1에서 답한 일을 두 문장으로 다시 정리해 봅니다.

3 2에서 만든 문장을 차례대로 넣어 어디에서, 무엇을, 어떻게 관찰하였는지가 잘 드러나도록 씁니다.

채점 기준
관찰 장소와 대상, 관찰 방법이 잘 드러나게 썼으면 정답입니다.

16쪽 똑똑한 하루 글쓰기 고쳐쓰기

1 예 돋보기로 달팽이를 세 세 히 관찰하였다.
예 돋보기로 달팽이를 상 세 히 관찰하였다.

2 ∨ 나 는 ∨ 밭 에 서 ∨ 감 자 를 ∨ 관 찰 하 였 다 .

1 '세세히'와 '상세히' 모두 '자세히'와 바꾸어 써도 문장의 뜻이 변하지 않는 뜻이 비슷한 낱말입니다.

2 '내'가 감자를 관찰한 장소인 '밭' 뒤에 붙는 말로 알맞은 것은 앞말이 행동이 이루어지고 있는 장소임을 나타내 주는 '에서'입니다.

17쪽 똑똑한 하루 글쓰기 마무리

관찰 장소와 대상: ❶ 예 마을 뒷산에서 민들레를 관찰하였다.

관찰 방법: ❷ 예 돋보기로 민들레를 자세히 관찰하였다.

◎ 밤톨이는 마을 뒷산에서 찾은 민들레를 관찰하려고 합니다. 밤톨이는 돋보기로 민들레를 관찰하고, 그 모습을 그림으로 그리겠다고 하였습니다.

채점 기준

구분	답안 내용	
평가 기준	관찰 장소와 대상, 관찰 방법을 모두 알맞게 썼습니다.	상
	관찰 장소와 대상, 관찰 방법 중 두 가지만 썼습니다.	중
	관찰 장소와 대상, 관찰 방법 중 한 가지만 썼습니다.	하

2일

19쪽

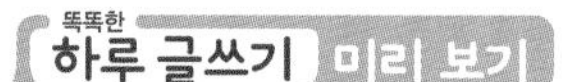
똑똑한 하루 글쓰기 미리 보기

20~21쪽

똑똑한 하루 글쓰기

1 (1) 머리부터 꼬지까지 검은색이고, 가슴과 배는 [하][얀][색]이다.
(2) 지붕 밑에 [둥][지]를 만들고, 하루 종일 벌레를 잡아 와 새끼들에게 먹인다.

2 ❶ 머리부터 꽁지까지 검은색이고, [가][슴][과] [배][는] [하][얀][색]이다.
❷ [지][붕] [밑][에] [둥][지]를 만들고, 하루 종일 벌레를 잡아 와 새끼들에게 먹인다.

3 **관찰 내용**: 제비의 몸길이는 한 뼘 정도이다. ❶ 예 머리부터 꽁지까지 검은색이고, 가슴과 배는 하얀색이다. ❷ 예 지붕 밑에 둥지를 만들고, 하루 종일 벌레를 잡아 와 새끼들에게 먹인다.

1~2 사진 속 제비는 머리부터 꽁지까지 검은색이고, 가슴과 배는 하얀색입니다. 그리고 지붕 밑에 둥지를 만들어 새끼를 키우고 있습니다.

3 2에서 쓴 제비의 생김새와 행동을 차례대로 써서 관찰 내용을 완성합니다.

채점 기준

제비를 관찰한 내용을 알맞게 썼으면 정답입니다.

22쪽

똑똑한 하루 글쓰기 고쳐쓰기

1 (1) 한 [뼘] (2) 두 [아름]

2

V	제	비	는	V	머	리	부	터	V	꽁	지
까	지	V	검	은	색	이	다	.			

1 (1) 그림처럼 비교적 짧은 길이를 잴 때 몇 뼘인지로 나타낼 수 있습니다.
(2) 그림처럼 대상의 둘레를 잴 때 몇 아름인지로 나타낼 수 있습니다.

2 '까지' 앞에는 흔히 '부터'가 쓰여서 '~부터 ~까지'로 짝을 이뤄 쓰입니다.

23쪽

똑똑한 하루 글쓰기 마무리

	개	미	의		몸	은		머	리	,	가
슴	,	배	로		나	누	어	져		있	다.
한		쌍	의		더	듬	이	와		여	섯
개	의		다	리	를		가	졌	다	.	

◎ 개미의 몸은 머리, 가슴, 배의 세 부분으로 나누어져 있으며, 한 쌍의 더듬이와 여섯 개의 다리를 가졌습니다. 그리고 대부분의 일개미들에게는 날개가 없습니다.

채점 기준

구분	답안 내용	
평가 기준	관찰 내용을 두 가지 모두 알맞게 썼습니다.	상
	관찰 내용을 두 가지 모두 썼지만, 띄어쓰기나 맞춤법이 틀린 부분이 있습니다.	중
	관찰 내용을 한 가지만 알맞게 썼습니다.	하

3일

25쪽 똑똑한 하루 글쓰기 미리 보기

생각이나
느낌

26~27쪽 똑똑한 하루 글쓰기

1 (1) 무당벌레는 연기를 잘하는 [배][우] 같다.
(2) 무당벌레가 위험이 닥치면 [죽][은] 척을 한다는 사실을 알았다.

2 ❶ 무당벌레는 [연][기][를] [잘][하][는] [배][우] 같다.
❷ 무당벌레가 위험이 닥치면 [죽][은] [척][을] [한][다]는 사실을 알았다.

3
 무당벌레는∨연기를∨잘
하는∨배우∨같다. 무당벌
레가∨위험이∨닥치면∨죽
은∨척을∨한다는∨사실을∨
알았다.

1 (1) 밤톨이는 무당벌레가 배우 같다고 생각했습니다.
(2) 밤톨이는 무당벌레가 죽은 척을 한다는 사실을 새롭게 알게 되었습니다.

더 알아보기

무당벌레의 특징

몸길이는 약 7mm 정도이며, 달걀 모양이나 아래쪽은 편평합니다. 겉날개는 붉은 바탕에 검은 점무늬가 있습니다. 위험이 닥치면 기분 나쁜 냄새가 나는 노란색 물질을 뿜고, 죽은 척을 하기도 합니다.

2 밤톨이가 무당벌레를 관찰하고 든 생각이나 느낌을 각각 씁니다.

3 2에서 쓴 문장을 넣어 관찰 일기에 들어갈 생각이나 느낌을 씁니다.

채점 기준

무당벌레를 관찰하고 든 생각이나 느낌이 잘 드러나게 썼으면 정답입니다.

28쪽 똑똑한 하루 글쓰기 고쳐쓰기

1 무당벌레가 죽은 [체]를 한다는 사실을 알았다.

2
 무당벌레는∨연기를∨잘
하는∨배우∨같다. 하마터
면∨깜빡∨속을∨뻔했다.

1 '척'과 '체'는 서로 바꾸어 쓸 수 있는 뜻이 비슷한 낱말입니다.

2 '조금만 잘못하였더라면 ~할 가능성이 매우 높았다.'라는 뜻의 문장에는 '하마터면 ~을 뻔했다.'가 알맞습니다. 특히 '하마터면'을 '하마트면'으로 잘못 쓰는 경우가 많으므로 주의합니다.

29쪽 똑똑한 하루 글쓰기 마무리

예 도꼬마리 열매가 꼭 나를 따라가겠다고 떼쓰는 것 같았다.
예 도꼬마리 열매의 가시가 씨앗을 널리 퍼뜨리기 위해 있다는 것을 알게 되었다.

○ 도꼬마리 열매를 관찰한 내용에 맞는 생각이나 느낌을 씁니다.

채점 기준

구분	답안 내용	
평가 기준	도꼬마리를 관찰하고 든 생각이나 느낌을 알맞게 썼습니다.	상
	도꼬마리를 관찰하고 든 생각이나 느낌을 썼지만, 표현이 어색한 부분이 있습니다.	중
	도꼬마리를 관찰하고 어떤 생각이나 느낌이 들었는지 잘 드러나지 않습니다.	하

4일

31쪽

똑똑한 하루 글쓰기 미리 보기

32~33쪽

똑똑한 하루 글쓰기

1 (1) 할머니 댁 화단에 핀 나팔꽃을 관찰하였다.
(2) 나팔꽃을 자세히 살펴보고, 줄자로 길이도 재 보았다.

2 ❶ 2미터나 되는 긴 줄기는 꽃아 놓은 막대를 휘감고 있다.
❷ 잎은 심장 모양이고, 꽃은 자주색의 나팔 모양이다.

3 ⓔ 금방이라도 나팔꽃이 나팔을 연주해 줄 것 같은 생각이 들었다.
ⓔ 나팔꽃이 어떻게 막대를 휘감고 올라갈 수 있는지 궁금하였다.

1 정호는 할머니 댁 화단에서 나팔꽃을 관찰하였고, 나팔꽃을 자세히 살펴보고 줄자로 길이도 재 보았습니다.

2 사진 속 나팔꽃은 줄기로 꽂아 놓은 막대를 휘감고 있습니다. 그리고 잎은 심장 모양이며, 꽃은 자주색의 나팔 모양을 하고 있습니다.

3 2의 나팔꽃 사진과 관찰 내용을 보고 어울리는 생각이나 느낌을 골라 써 봅니다.

채점 기준

나팔꽃을 관찰하고 든 생각이나 느낌을 띄어쓰기나 맞춤법에 맞게 잘 썼으면 정답입니다.

34쪽

똑똑한 하루 글쓰기 고쳐쓰기

1 (1) 할머니께서 말씀하셨다.
(2) 할머니, 제 말씀 좀 들어 보세요.

2 할머니께서∨화단에∨가지가지∨꽃들을∨심어∨두셨다.

1 (1)에서는 할머니의 말을 높여 이르기 위해 '말씀'을 쓰고, (2)에서는 자신의 말을 낮추어 이르기 위해 '말씀'을 써야 합니다.

2 할머니를 높이려면 '가' 대신에 '께서'를 쓰고, '두었다' 대신에 높임을 나타내는 '–시–'를 넣어 '두셨다'라고 씁니다.

35쪽

똑똑한 하루 글쓰기 마무리

ⓔ

날짜: 20○○년 6월 20일　　**날씨**: 맑음

관찰 장소와 대상: 골목길에서 고양이를 관찰하였다.

관찰 방법: 먹이를 주고 고양이를 가까이에서 관찰하였다.

관찰 내용:

갈색의 무늬가 있다. 송곳니가 길고, 날카로운 발톱을 숨기고 있다. 먹이를 주자 조심조심 다가와 먹이를 먹었다. 하지만 참치만 먹고, 사료는 먹지 않았다. 먹이를 다 먹자 금세 사라졌다.

생각이나 느낌: 고양이와 친해지는 것은 어려울 것 같다.

○ 관찰한 날짜, 날씨, 장소, 대상, 관찰 방법, 관찰 내용, 관찰하면서 든 생각이나 느낌 중 빠진 내용이 없는지 확인하며 관찰 일기를 씁니다. 그리고 관찰한 대상의 그림을 그려 봅니다.

채점 기준

구분	답안 내용	
평가 기준	관찰 일기에 들어갈 내용을 빠짐없이 알맞게 썼습니다.	상
	관찰 일기에 들어갈 내용을 빠짐없이 썼지만, 표현이 어색한 부분이 있습니다.	중
	관찰 일기에 들어갈 내용을 빠뜨리고 쓰지 못한 부분이 있습니다.	하

5일

37쪽 하루 글쓰기 미리 보기

38~39쪽 하루 글쓰기

1 (1) 겉은 딱딱하고, 양쪽 끝은 뾰족하다.
(2) 몸 색깔은 주변의 색깔과 비슷해 눈에 잘 띄지 않으며, 움직이거나 먹이를 먹지 않는다.

2 ❶ 겉은 딱딱하고, 양쪽 끝은 뾰족하다.
❷ 몸 색깔은 주변의 색깔과 비슷해 눈에 잘 띄지 않으며, 움직이거나 먹이를 먹지 않는다.

3 ❶ 예 겉은 딱딱하고, 양쪽 끝은 뾰족하다. ❷ 예 몸 색깔은 주변의 색깔과 비슷해 눈에 잘 띄지 않으며, 움직이거나 먹이를 먹지 않는다.

1 배추흰나비 번데기는 겉은 딱딱하고, 양쪽 끝은 뾰족합니다. 몸 색깔은 주변의 색깔과 비슷해 눈에 잘 띄지 않으며, 움직이거나 먹이를 먹지 않습니다.

2 번데기로 변한 배추흰나비의 생김새를 관찰하여 문장으로 다시 써 봅니다.

3 2에서 정리한 문장을 관찰 내용에 알맞게 씁니다.

채점 기준

배추흰나비 번데기의 관찰 내용을 알맞게 썼으면 정답입니다.

더 알아보기

배추흰나비의 변화 기록하기

배추흰나비는 알, 애벌레, 번데기를 거쳐서 나비가 됩니다. 관찰 일기를 쓸 때에는 배추흰나비 알을 사육통에서 기르며, 각각의 변화를 관찰하여 쓰는 것이 좋습니다.

40쪽 하루 글쓰기 고쳐쓰기

1 배추흰나비의 알은 길쭉한 옥수수 열매처럼 생겼다.
배추흰나비의 알은 기름한 옥수수 열매처럼 생겼다.

2 나비가 ∨ 팔랑팔랑 ∨ 날갯짓하면서 ∨ 꽃을 ∨ 옮겨 ∨ 다닌다.

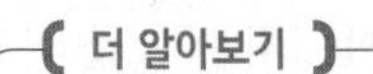

1 '길쭉한'과 '기름한'은 모두 조금 긴 모양을 뜻하는 말입니다.

더 알아보기

길쭉하고 기름한 모양 더 알아보기

▲ 길쭉한 기린의 목

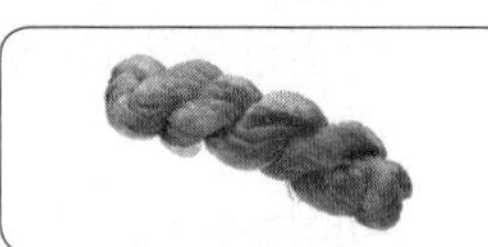
▲ 기름한 꽈배기

2 두 문장을 하나의 문장으로 합칠 때에 '날갯짓한다. 그러면서'는 '날갯짓하면서'로 합쳐 씁니다.

41쪽 하루 글쓰기 마무리

관찰 내용: 몸이 머리, 가슴, 배 세 부분으로 나뉘고, ❶ 다리 세 쌍과 흰색 날개 두 쌍이 붙어 있다. 애벌레 때와는 달리 날개를 이용해 날아다니고, 꽃에 앉아 긴 대롱 모양의 입을 펴서 꿀을 먹었다.
생각과 느낌: ❷ 하얀 날개를 팔랑이는 나비가 무척 아름답다.

○ 어른벌레가 된 배추흰나비를 관찰하고 알맞은 관찰 내용과 생각이나 느낌을 골라 씁니다.

채점 기준

구분	답안 내용	
평가 기준	관찰 내용과 생각이나 느낌 부분에 각각 알맞은 내용을 썼습니다.	상
	관찰 내용과 생각이나 느낌 부분에 각각 알맞은 내용을 썼지만, 표현이 어색한 부분이 있습니다.	중
	관찰 내용과 생각이나 느낌 부분 중 한 가지만 알맞게 썼습니다.	하

특강 똑똑한 하루 창의·융합·코딩

43쪽

"거미도 줄을 쳐야 벌레를 잡는다"라는 말이 있어. 줄넘기 대회에서 우승하려면 그만큼 준비를 잘해야 해.

44쪽

- '사물이나 현상을 주의 깊게 자세히 살펴봄.'이라는 뜻의 낱말은 '관찰', '아침부터 저녁까지의 동안.'이라는 뜻의 낱말은 '종일', '주의나 관심을 빗대어 이르는 말.'이라는 뜻의 낱말은 '눈길'입니다.

왜 틀렸을까?
- **한눈**: 마땅히 볼 데를 보지 않고 딴 데를 보는 눈.
- **순간**: 아주 짧은 동안.
- **눈병**: 눈에 생기는 병.

45쪽

지호는 공원에서 병아리를 관찰하고 관찰 일기를 쓰기로 하였어요.

- 코딩 명령에 따라 ⬆ 방향으로 3칸, ➡ 방향으로 2칸 이동하면 다음과 같습니다.

46쪽

(1) 고추잠자리 ○

- 친구들이 관찰한 내용에 알맞은 동물은 고추잠자리입니다. 달팽이, 무당벌레, 나비는 친구들의 관찰 내용과 맞지 않는 점들이 있습니다.

47쪽

조르주 드 메스트랄은 도꼬마리 열매에 있는 갈고리 모양의 가시를 보고, 옷과 신발의 단추나 끈보다 더 쉽게 붙였다 떼었다 할 수 있는 벨크로를 만들었어요.

- ♥ ★ ▲ 를 표에서 찾으면 '벨크로'가 됩니다.

더 알아보기

갈고리를 이용해 붙였다 떼었다 하는 벨크로는 '찍찍이' 또는 '매직테이프'라고 부르기도 합니다.

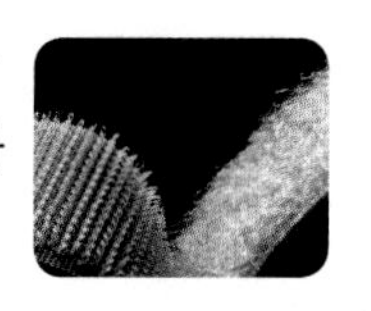

평가 누구나 100점 테스트

48~49쪽

1 관찰 2 아라 3 (2) ○
4 (1) ○ 5 달래

6
	흰	V	털	로	V	덮	인	V
열	매	가	V	꼭	V	할	머	
니	V	흰	머	리	V	같	다	.

7 서영 8 (2) ○ 9 (1) ○

10
	꾸	물	꾸	물	V	기	어	V
다	니	면	서	V	잎	을	V	
갉	아	V	먹	었	다	.		

1 어떤 대상을 관찰한 내용을 적는 일기를 '관찰 일기'라고 합니다.

> **왜 틀렸을까?**
> '독서 일기'는 책을 읽고 책 내용과 생각이나 느낌 등을 적는 일기입니다.

2 그림 속 밤톨이는 달팽이를 돋보기로 관찰하고 있습니다.

3 '내'가 달팽이를 관찰한 장소인 '꽃밭'에 붙는 말로 알맞은 것은 앞말이 행동이 이루어지고 있는 장소임을 나타내 주는 '에서'입니다.

> **왜 틀렸을까?**
> '처럼'은 다른 말 뒤에 붙어서 그것과 모양이 서로 비슷하거나 같음을 나타내는 말입니다.
> ㉠ 내 친구는 개미처럼 부지런하다.

4 관찰 내용을 보면 제비의 몸길이는 한 뼘 정도이며, 몸 색깔은 검은색과 하얀색이 섞여 있습니다. 그리고 지붕 밑에 둥지를 만들고, 하루 종일 벌레를 잡아와 새끼들에게 먹인다고 하였습니다.

5 관찰 내용에는 대상의 모습이나 행동 등의 특징을 관찰해 씁니다. 대상을 관찰하게 된 까닭은 쓰지 않습니다.

6 사진 속 할미꽃의 열매는 흰 털이 나 있습니다. 그 모습을 보고 떠오르는 생각이나 느낌으로 알맞은 것은 '할머니 흰머리'입니다.

7 무당벌레에 대해 더 알고 싶은 점을 말한 사람은 서영입니다. 은주는 새롭게 안 사실을 말하였습니다.

8 할머니를 높이기 위해서는 '가'는 '께서'로, '말하였다'는 '말씀하셨다'로 고쳐 써야 합니다.

9 관찰 방법에서 애벌레를 관찰한다고 하였고, 관찰 내용에서 애벌레의 생김새를 자세히 나타냈습니다. 관찰 대상인 애벌레 그림으로 알맞은 것은 (1)입니다.

> **왜 틀렸을까?**
> (2)의 그림은 배추흰나비 애벌레가 번데기를 거쳐 어른벌레가 된 모습을 그린 것입니다.

10 애벌레가 매우 느리게 기어 다니는 모습을 흉내 내는 말로 알맞은 것은 '꾸물꾸물'입니다.

> **왜 틀렸을까?**
> • **팔랑팔랑**: 나뭇잎이나 나비 따위가 가볍게 계속 날아다니는 모양을 흉내 내는 말.
> • **첨벙첨벙**: 큰 물체가 물에 자꾸 부딪치거나 잠기는 소리나 모양을 흉내 내는 말.

52~53쪽 2주에는 무엇을 공부할까? ❷

1-1 첫인사　　1-2 문제 상황
2-1 (1) ×　　2-2 양치를 합시다

1-1 제안하는 글에는 문제 상황과 자신이 제안하는 내용, 제안하는 까닭 등을 씁니다. 첫인사는 편지나 이메일 등의 글에 들어갈 내용입니다.

1-2 기찬이는 사람들이 쓰레기를 버려 공원이 더럽다는 문제 상황을 이야기하고 있습니다.

2-1 제안하는 내용에는 실천할 수 있는 제안을 써야 합니다.

2-2 제안하는 내용에 사용할 수 있는 알맞은 표현은 '~합시다.'입니다. 아이가 양치를 하고 있는 상황에 어울리도록 '음식을 먹은 뒤에는 바로 양치를 합시다.'라는 제안하는 내용을 쓸 수 있습니다.

더 알아보기

제안하는 내용에 쓸 수 있는 표현 예

- ~하면 좋겠습니다.
- ~합시다.
- ~해 봅시다.
- ~하면 어떨까요?

1일

55쪽 똑똑한 하루 글쓰기 미리 보기

❶ 의견 ❷ 까닭 ❸ 문제 ❹ 불편

56~57쪽 똑똑한 하루 글쓰기

1 (1) 사람들이 함부로 버린 쓰레기들이 공원에 마구 흩어져 있다.
(2) 별빛 공원이 지저분하다.

2 사람들이 함부로 버린 쓰레기들이 공원에 마구 흩어져 있어 별빛 공원이 지저분합니다.

3 사람들이 ∨ 함부로 ∨ 버린 ∨ 쓰레기들이 ∨ 공원에 ∨ 마구 ∨ 흩어져 ∨ 있어 ∨ 별빛 ∨ 공원이 ∨ 지저분합니다.

1 (1) 사람들이 함부로 버린 쓰레기들이 공원에 흩어져 있습니다.
(2) 사람들이 함부로 버린 쓰레기들 때문에 별빛 공원이 지저분합니다.

2 1에서 답한 상황을 한 문장으로 다시 정리해 봅니다.

3 2에서 쓴 문장을 이용해 문제 상황이 잘 나타나도록 내용을 정리해 봅니다.

채점 기준

문제 상황이 잘 드러나게 내용을 정리했으면 정답으로 합니다.

58쪽 똑똑한 하루 글쓰기 고쳐쓰기

1 (1) 게시판 (2) 함부로

2 차마 ∨ 발걸음이 ∨ 떨어지지 ∨ 않았다.

1 (1) '여러 사람에게 알릴 내용을 내붙이거나 내걸어 두루 보게 붙이는 판.'을 뜻하는 알맞은 낱말은 '게시판'입니다.
(2) '조심하거나 깊이 생각하지 않고 마음 내키는 대로 마구.'를 뜻하는 알맞은 낱말은 '함부로'입니다.

2 '차마'는 부정적인 표현인 '~않다.'와 어울리는 낱말입니다.

59쪽 똑똑한 하루 글쓰기 마무리

예		사	용	하	지		않	는		전	기
기	구	들	을		켜		놓	아		전	기
가		낭	비	되	고		있	습	니	다	.

- 그림에 나타난 불편하거나 바꾸었으면 하는 점이나 함께 결정해야 할 문제를 다른 사람들이 알 수 있게 자세히 써 봅니다.

채점 기준

구분	답안 내용	
평가 기준	전기가 낭비되고 있다는 문제 상황이 잘 드러나게 답을 썼습니다.	상
	전기가 낭비되고 있다는 문제 상황이 드러나게 답을 썼지만 맞춤법이나 띄어쓰기가 틀린 부분이 있습니다.	중
	그림과 어울리지 않는 문제 상황을 썼습니다.	하

더 알아보기

전기를 절약하는 방법 예
- 사용하지 않는 전기 기구의 플러그는 뽑아 둡니다.
- 에너지 효율 등급이 높은 전기 기구를 사용합니다.
- 여름철 에어컨, 겨울철 전기 난방기 사용을 줄이고 적정 실내 온도를 유지합니다.

2일

61쪽 똑똑한 하루 글쓰기 미리 보기

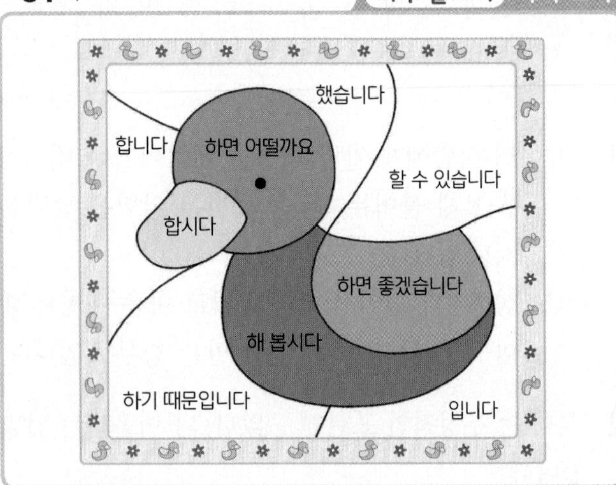

62~63쪽 똑똑한 하루 글쓰기

1 (1) 수업 시간에 친구와 이야기하지 말자.
(2) 수업을 듣는 친구를 방해하지 말자.
(3) 수업 시간에는 수업에 집중하자.

2 ❶ 수업 시간에 친구와 이야기하거나, 수업을 듣는 친구를 방해하지 맙시다.
❷ 수업 시간에는 수업에 집중해 봅시다.

3

	❶수	업	V	시	간	에	V	친	구	와	V
이	야	기	하	거	나	,	수	업	을	V	듣
는	V	친	구	를	V	방	해	하	지	V	맙
시	다	.	❷수	업	V	시	간	에	는	V	수
업	에	V	집	중	해	V	봅	시	다	.	

1 (1) 수업 시간에 이야기를 하는 친구가 있습니다.
(2) 수업을 듣고 있는 민서를 친구가 방해하였습니다.
(3) 민서는 친구들이 수업에 집중했으면 좋겠다고 생각하였습니다.

2 1에서 답한 제안하는 내용을 두 문장으로 정리해 써 봅니다.

3 2에서 쓴 문장을 넣어 민서가 제안하는 내용이 잘 나타나도록 정리해 써 봅니다.

채점 기준

민서가 제안하는 내용이 잘 드러나게 답을 정리했으면 정답으로 합니다.

64쪽 똑똑한 하루 글쓰기 고쳐쓰기

1 (1) 펴다 (2) 피다

2

	친	구	들	에	게	V	쓴	V	제	안	하
는	V	글	이	에	요	.					

1 (1) '접히거나 개킨 것을 젖히어 벌리다.'라는 뜻의 낱말인 '펴다'로 고쳐 써야 합니다.
(2) '꽃봉오리 따위가 벌어지다.'라는 뜻의 낱말인 '피다'로 고쳐 써야 합니다.

2 '이예요'는 '이에요'의 잘못된 표현입니다.

65쪽 똑똑한 하루 글쓰기 마무리

❶ 예 버스에서 할아버지, 할머니께 자리를 양보해 봅시다.

❷ 예 나갔다 들어온 후 손 씻기를 생활화합시다.

❸ 예 우리 모두 꾸준히 운동을 하면 어떨까요?

○ 제안하는 내용에 쓸 수 있는 표현을 생각하며 각 그림에 알맞은 제안하는 내용을 써 봅니다.

채점 기준

구분	답안 내용	
평가 기준	제시된 표현을 사용하여 그림에 어울리게 ❶~❸의 답을 모두 잘 썼습니다.	상
	제시된 표현을 사용하여 그림에 어울리게 ❶~❸의 답을 모두 썼지만 맞춤법이나 띄어쓰기가 틀린 부분이 있습니다.	중
	❶~❸ 중 한두 가지만 제시된 표현을 사용하여 그림에 어울리게 답을 썼습니다.	하

3일

67쪽 똑똑한 하루 글쓰기 미리 보기

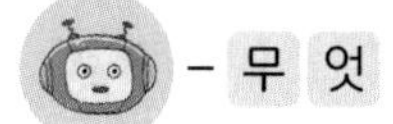

68~69쪽 똑똑한 하루 글쓰기

1 • 왜냐하면 플라스틱 쓰레기를 동물들이 먹이로 착각하고 먹기도 하기 때문입니다.

• 플라스틱 쓰레기를 줄이면 동물들을 보호할 수 있습니다.

2 ❶ 왜냐하면 플라스틱 쓰레기를 동물들이 먹이로 착각하고 먹기도 하기 때문입니다.

❷ 플라스틱 쓰레기를 줄이면 동물들을 보호할 수 있습니다.

3 플라스틱 사용을 줄입시다. ❶ 예 왜냐하면 플라스틱 쓰레기를 동물들이 먹이로 착각하고 먹기도 하기 때문입니다. ❷ 예 플라스틱 쓰레기를 줄이면 동물들을 보호할 수 있습니다.

1 달래가 말한 플라스틱 사용을 줄이자고 제안하는 내용에 어울리는 제안하는 까닭이 되도록 빈칸에 알맞은 낱말을 써 봅니다.

2 1에서 답한 제안하는 까닭을 두 문장으로 정리해 써 봅니다.

3 2에서 쓴 문장을 넣어 제안하는 글에 들어갈 제안하는 까닭을 정리해 써 봅니다.

채점 기준

제안하는 내용에 어울리게 제안하는 까닭을 정리했으면 정답으로 합니다.

70쪽 똑똑한 하루 글쓰기 고쳐쓰기

1 (1) 썩지 (2) 섞어

2 플라스틱 ∨ 쓰레기들이 ∨ 바다로 ∨ 흘러들어 ∨ 동물들이 ∨ 먹이로 ∨ 착각하고 ∨ 먹기도 ∨ 한다잖아.

1 (1) '음식물이나 자연물이 세균에 의해 변화되어 상하거나 나쁘게 변하지.'라는 뜻의 낱말인 '썩지'로 고쳐 써야 합니다.

(2) '두 가지 이상의 것을 한데 합쳐.'라는 뜻의 낱말인 '섞어'로 고쳐 써야 합니다.

2 소리 나는 대로 쓰지 않고 '흘러들어', '한다잖아'로 맞춤법에 알맞게 써야 합니다.

71쪽 똑똑한 하루 글쓰기 마무리

예		교	통	질	서	를		잘		지	키	면
	친	구	들	에	게		위	험	한		상	황
	이		줄	어	들		것	입	니	다	.	
예		무	단		횡	단	을		하	지		않
	으	면		안	전	한		하	굣	길	을	
	만	들		수		있	을		것	입	니	다.

- 우리 학교 친구들이 무단 횡단을 하지 않으면 좋겠다고 제안하는 내용에 맞게 제안하는 까닭 중 한 가지를 골라 써 봅니다.

채점 기준

구분	답안 내용	
평가 기준	보기 중 한 가지를 골라 맞춤법과 띄어쓰기에 맞게 잘 썼습니다.	상
	보기 중 한 가지를 골라 썼지만 맞춤법이나 띄어쓰기가 틀린 부분이 있습니다.	중
	제안하는 글의 내용과 관련 없는 제안하는 까닭을 썼습니다.	하

73쪽 똑똑한 하루 글쓰기 미리 보기

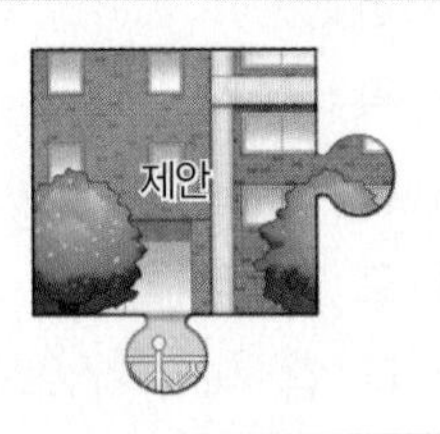

74~75쪽 똑똑한 하루 글쓰기

1 (1) 겨울철 적정 실 내 온 도 를 유지하자
(2) 별 명 을 지어 친구들을 놀리지 말자

2 ❶ 겨울철 적 정 실 내 온 도 를 유 지 하자
❷ 별 명 을 지 어 친 구 들 을 놀리지 말자

1 제안하는 내용이 잘 드러나게 빈칸에 알맞은 낱말을 각각 써 봅니다.

2 1에서 답한 제목을 문장으로 각각 다시 써 봅니다.

76쪽 똑똑한 하루 글쓰기 고쳐쓰기

1 추운 날씨에 실내 곳곳에서는 난 방 을 합니다.

2

	겨	울	에	도	V	실	내	에	서	V	반
팔	을	V	입	어	도	V	될	V	만	큼	V
따	뜻	한	V	곳	들	이	V	있	습	니	다.

1 '실내의 온도를 낮춰 차게 하는 일.'이라는 뜻의 '냉방'과 뜻이 반대인 낱말은 '난방'입니다.

2 '만큼'은 형태가 바뀌는 낱말 가운데에서 '-ㄹ'로 끝나는 말 뒤에서는 띄어 쓰므로 '될 만큼'이 알맞은 띄어쓰기입니다.

더 알아보기

'만큼'의 띄어쓰기 더 알아보기

- 형태가 바뀌는 낱말 가운데에서 '-는/-을/-던'과 같이 '-ㄴ/-ㄹ'로 끝나는 말 뒤에서는 띄어 씁니다.
  예 노력한 만큼 좋은 점수를 받을 수 있을 거야.
  아무것도 보이지 않을 만큼 캄캄한 밤이었다.
- 사람이나 사물의 이름을 나타내는 낱말이나, 수를 나타내는 낱말 뒤에서는 붙여 씁니다.
  예 동생의 키만큼 큰 개를 보았다.
  우리 반에서 나만큼 빨리 뛰는 사람은 없다.

77쪽 똑똑한 하루 글쓰기 마무리

예 현장 체험학습 장소는 투표로 정하자

- 만화를 읽고, 제안하는 내용이 잘 드러나도록 제목을 붙여 봅니다.

채점 기준

구분	답안 내용	
평가 기준	제안하는 내용이 잘 드러나게 제목을 잘 썼습니다.	상
	제안하는 내용이 드러나게 제목을 썼지만 맞춤법이나 띄어쓰기가 틀린 부분이 있습니다.	중
	제안하는 내용이 잘 드러나지 않게 제목을 썼습니다.	하

79쪽

하루 글쓰기 미리 보기

❶ 내 용
❷ 해 결
❸ 좋 은

미	술	이	해
내	용	바	결
슬	픈	나	쁜
좋	은	아	유

80~81쪽

하루 글쓰기

1 (1) 점심시간에 계속 1반부터 급식실에 갑니다.
(2) 끝 반인 우리 반은 항상 점심을 가장 늦게 먹게 됩니다.

2 ❶ 1반부터만 급식을 먹지 말았으면 좋겠습니다.
❷ 한 달에 한 번씩 반별로 급식실에 가는 차례를 바꿉시다.

3 예 반별로 돌아가면서 급식실에 간다면 친구들의 불만이 줄어들 것입니다. / 예 한 달에 한 번씩 급식실에 가는 차례를 바꾸면 모든 반이 공평하게 점심시간을 사용할 수 있습니다.

1 점심시간에 계속 1반부터 급식실에 가서 끝 반인 우리 반은 항상 점심을 가장 늦게 먹는 문제 상황이 있습니다.

2 1에서 답한 문제 상황을 해결하기 위한 제안하는 내용을 두 문장으로 정리해 써 봅니다.

3 2에서 답한 제안하는 내용에 맞게 제안하는 까닭 부분에 들어갈 내용을 써 봅니다.

채점 기준

보기 의 문장 중 한 가지를 골라 알맞게 썼으면 정답입니다.

82쪽

하루 글쓰기 고쳐쓰기

1 설레는

2 아버지께 V 따뜻한 V 차를 V 드리다.

1 '마음이 가라앉지 않고 들떠서 두근거리는.'의 뜻을 가지는 낱말로 알맞은 것은 '설레는'입니다. '설레이는'은 '설레는'의 잘못된 표현입니다.

더 알아보기

헷갈리는 낱말 더 알아보기 예
- 헤매이다(×) → 헤매다(◯) 예 길을 헤매다.
- 되뇌이다(×) → 되뇌다(◯) 예 똑같은 말을 계속 되뇌다.

2 윗사람에게 말할 때에는 알맞은 높임법을 사용해야 합니다.

83쪽

하루 글쓰기 마무리

예 제목: 층간 소음을 줄여 주세요

우리 아파트에서 밤늦은 시간에 뛰어다니거나 악기를 연주하는 사람들이 있어 다른 집에 피해를 주고 있습니다.

집에서는 조용히 걷도록 노력하고, 늦은 시간에는 소음을 최대한 줄입시다.

왜냐하면 아파트는 많은 사람들이 함께 살아가는 공간이기 때문입니다. 서로를 조금씩만 더 배려한다면 많은 사람들이 더욱 쾌적한 삶을 누릴 수 있을 것입니다.

예 제목: 반려동물과의 산책은 목줄과 함께

최근 동네에 반려동물을 키우는 사람들이 점점 늘어나고 있습니다. 그런데 반려동물을 산책시킬 때 목줄을 사용하지 않는 경우가 많습니다.

반려동물과 마을 주민들이 함께 어울려 지낼 수 있도록 산책할 때에는 목줄을 사용해 주세요.

귀여운 반려동물이지만 무서워하는 사람들이 있을 수도 있고, 잠깐 사이에 돌발 상황이 일어날 수도 있습니다. 목줄을 사용한다면 좀 더 안전한 산책을 할 수 있을 것입니다.

○ 문제 상황 중 한 가지를 골라 제안하는 글에 들어갈 내용을 넣어 제안하는 글을 완성해 봅니다.

채점 기준

구분	답안 내용	
평가 기준	문제 상황, 제안하는 내용, 제안하는 까닭, 제목이 모두 잘 드러나게 제안하는 글을 썼습니다.	상
	제안하는 글에 들어갈 내용 중 일부가 빠져 있거나 맞춤법이 틀린 부분이 있습니다.	중
	제안하는 내용만 간단하게 썼습니다.	하

특강 똑똑한 하루 창의·융합·코딩

85쪽

선생님께 수학 공부는 하기 싫다고 말씀드리기로 했지만 아무도 나서지 못하는 것을 보니 "고 양 이 목 에 방 울 달 기"라는 말이 생각났다.

86쪽

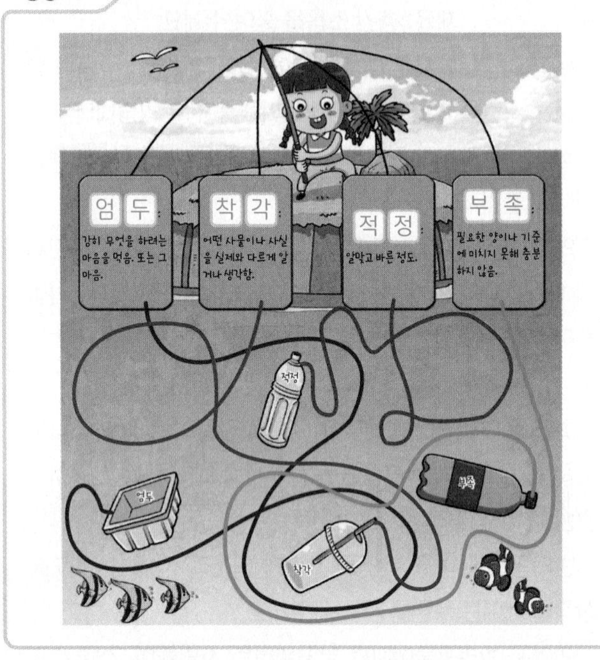

- '감히 무엇을 하려는 마음을 먹음. 또는 그 마음.'이라는 뜻의 낱말은 '엄두', '어떤 사물이나 사실을 실제와 다르게 알거나 생각함.'이라는 뜻의 낱말은 '착각', '알맞고 바른 정도.'라는 뜻의 낱말은 '적정', '필요한 양이나 기준에 미치지 못해 충분하지 않음.'이라는 뜻의 낱말은 '부족'입니다.

더 알아보기

플라스틱 쓰레기를 줄이는 방법 예

- 플라스틱 포장이 된 제품보다 종이 등으로 단순하게 포장된 제품을 삽니다.
- 일회용 플라스틱 빨대를 사용하지 않습니다.
- 일회용 음식 포장 용기의 사용을 줄입니다.

87쪽

(1) ○

- 수아가 떨어진 쓰레기를 모두 주우며 이동하기 위해서는, '아래쪽으로 1칸, 오른쪽으로 1칸 이동하기'를 세 번 반복해야 합니다. 코딩 명령에 따라 이동하면 다음과 같습니다.

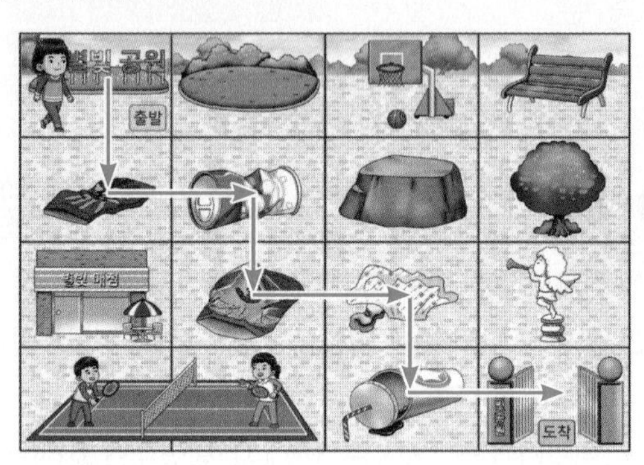

88쪽

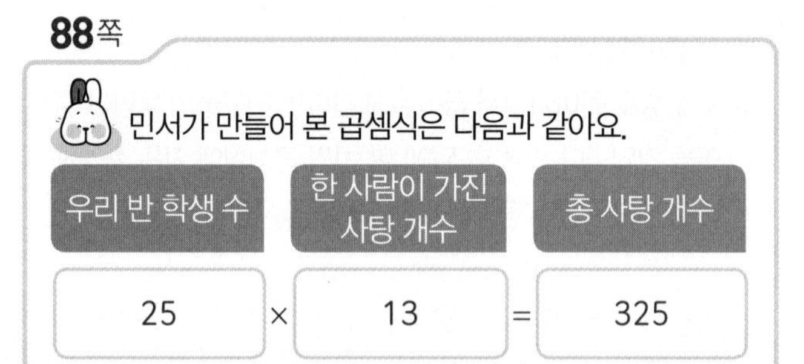

민서가 만들어 본 곱셈식은 다음과 같아요.
우리 반 학생 수
한 사람이 가진 사탕 개수
총 사탕 개수
25
×
13
=
325

- 우리 반 학생 수는 25명이고, 한 사람이 가진 사탕 개수는 13개입니다. 두 숫자를 곱하면 선생님께서 나눠 주신 총 사탕의 개수를 알 수 있습니다.

89쪽

- 겨울철 실내 적정 온도를 지키는 방법을 생각하며 다른 부분 다섯 군데를 모두 찾아봅니다.

평가 누구나 100점 테스트

90~91쪽

1 판판 2 (1) ○ 3 (1) ○

4

	우	리	V	모	두	V	꾸
준	히	V	운	동	을	V	하
면	V	어	떨	까	요	?	

5 (2) ○ 6 (1) ② (2) ①

7

	우	리	V	학	교	V	친
구	들	이	V	무	단	V	횡
단	을	V	하	지	V	않	으
면	V	좋	겠	습	니	다	.

8 기찬

9 한 달에 한 번씩 반별로 급 식 실 에 가는 차례를 바꿉시다.

10 제안하는 글

1 제안하는 글은 어떤 문제를 해결하기 위해 다른 사람에게 어떤 일을 하려고 자신의 의견과 그 까닭을 이야기하기 위해 쓴 글입니다.

더 알아보기

제안하는 글에 들어가는 내용
- 제목
- 문제 상황
- 제안하는 내용
- 제안하는 까닭

2 친구들이 계단에서 뛰어다니는 모습이 나타난 그림을 보고 알 수 있는 문제 상황은 계단에서 위험하게 뛰는 친구들이 많다는 것입니다.

3 수업 시간에 이야기하는 친구들이 있는 문제 상황에 알맞은 제안하는 내용은 (1)입니다.

4 사람들이 운동을 하고 있는 그림에 알맞은 제안하는 내용은 '우리 모두 꾸준히 운동을 하면 어떨까요?'입니다.

5 플라스틱 사용을 줄이자는 제안하는 내용에 알맞은 제안하는 까닭은 (2)입니다.

왜 틀렸을까?

플라스틱 빨대 사용을 권장하는 (1)은 플라스틱 사용을 줄이자고 제안하는 내용에 어울리는 제안하는 까닭이 아닙니다.

6 제안하는 내용에는 '~해 봅시다.', '~하면 어떨까요?' 등의 표현을, 제안하는 까닭에는 '왜냐하면 ~하기 때문입니다.', '만약 ~하면 ~할 수 있습니다.' 등의 표현을 사용할 수 있습니다.

7 학교 앞에서 무단 횡단을 하는 친구들이 많다는 문제 상황을 해결하기 위한 제안하는 내용을 완성해 봅니다.

8 계속 1반부터 급식실에 가서 끝 반인 우리 반은 항상 점심을 가장 늦게 먹게 된다는 문제 상황이 나타나 있습니다.

9 이 글을 읽고 제안하는 내용을 쓸 때, 알맞은 문장은 '한 달에 한 번씩 반별로 급식실에 가는 차례를 바꿉시다.'입니다.

10 한 달에 한 번씩 반별로 급식실에 가는 차례를 바꾸자는 제안을 쓰기에 알맞은 글은 '제안하는 글'입니다.

94~95쪽 3주에는 무엇을 공부할까? ❷

1-1 (2) ○ (3) ○ 1-2 댓 글
2-1 (1) × 2-2 밤톨

1-1 댓글이란 인터넷에 다른 사람이 쓴 글을 읽고 짤막하게 답하여 올리는 글입니다. 글을 읽고 든 생각이나 느낌을 그러한 생각이나 느낌이 든 까닭이 잘 드러나게 쓰면 됩니다.

1-2 쪽지는 전하고자 하는 내용을 종이에 간단하게 쓴 글입니다.

2-1~2-2 인터넷을 통해서 주고받는 편지인 이메일은 글자뿐만 아니라 사진, 음악, 동영상 등을 함께 보낼 수 있습니다. 이메일을 쓸 때에는 첫인사, 전하고 싶은 말, 끝인사 등을 씁니다.

1일

97쪽 똑똑한 하루 글쓰기 미리 보기

❶ 댓 글
❷ 까 닭
❸ 기 분

98~99쪽 똑똑한 하루 글쓰기

1 (1) 나는 귀 찮 아 서 개를 자주 산책시켜 주지 않는다.
(2) 개를 잘 돌보는 아라가 대 단 하 다 는 생각이 들었다.
2 나는 귀 찮 아 서 개 를 자 주 산 책 시 켜 주지 않는데, 개를 잘 돌보는 네가 대 단 하 다 는 생 각 이 들었어.

3 ㉦ 리 오 의 모 습 을 더 보 고 싶 어 . 사 진 을 더 올 려 줄 수 있 을 까 ?
㉦ 우 리 집 은 아 파 트 라 서 개 를 키 울 수 없 는 데 , 정 말 부 럽 다 .

1 그림 속 지한이는 귀찮아서 흰둥이를 자주 산책시켜 주지 않습니다. 그래서 개를 잘 돌보는 아라가 대단하다고 생각했습니다.

2 1에서 답한 내용을 한 문장으로 정리하여 씁니다.

3 ㉡은 아라의 기분을 상하게 하는 댓글입니다. 보기 에서 마음에 드는 댓글을 골라 ㉡을 고쳐 써 봅니다.

채점 기준

상대의 마음을 상하게 하지 않는 내용의 댓글을 띄어쓰기나 맞춤법에 맞게 썼으면 정답입니다.

100쪽 똑똑한 하루 글쓰기 고쳐쓰기

1 (1) 온 몸 (2) 맨 몸
2 나 는 ∨ 하 루 에 ∨ 한 ∨ 번 씩 ∨ 개 를 ∨ 산 책 시 켜 ∨ 줘 .

1 (1) 그림 속 개는 온몸이 털로 덮여 있습니다.
(2) 그림 속 아기는 맨몸으로 목욕을 하고 있습니다.

2 '번'은 일의 횟수를 세는 단위로 앞의 수를 나타내는 말과 띄어 씁니다. '씩'은 '그 수량이나 크기로 나뉘거나 되풀이됨'의 뜻을 더해 주는 말로 앞말에 붙여 씁니다.

101쪽 똑똑한 하루 글쓰기 마무리

㉦ 주변에서 있을 법한 일을 쓴 이야기라 재미있을 것 같아.
㉦ 이 글을 읽고 나도 앞으로는 친구를 놀리지 말아야겠다는 생각이 들었어.

○ 글의 내용에 알맞은 댓글을 보기 에서 골라 씁니다.

채점 기준

구분	답안 내용	
평가 기준	글의 내용에 알맞은 댓글을 맞춤법과 띄어쓰기에 맞게 썼습니다.	상
	글의 내용에 알맞은 댓글을 썼지만, 맞춤법과 띄어쓰기에 틀린 부분이 있습니다.	중
	글의 내용에 맞지 않는 댓글을 썼거나 상대의 기분을 상하게 하는 내용을 썼습니다.	하

2일

103쪽 똑똑한 하루 글쓰기 미리 보기

실시간으로 메신저 등을 사용해 대화하는 것을 온 라 인 대화라고 해요.

대화를 시작하고 끝낼 때 인사를 하고, 대화 내용에 맞는 대 답을 하며 대화를 이어 나가요.

예의 없는 말이나 상대가 모르는 줄 임 말을 쓰지 않도록 주의해요.

104~105쪽 똑똑한 하루 글쓰기

1 (1) 나는 우리 고장의 특 산 품을 소개하고 싶어.
(2) 다른 지역 사람들에게 자 랑하고 싶은 것들이 무척 많거든.

2 ❶ 나는 우리 고장의 특 산 품 을 소 개 하 고 싶어.
❷ 다른 지역 사람들에게 자 랑 하 고 싶 은 것들이 무척 많거든.

3

❶	나	는	∨	우	리	∨	고	장	의	∨	특
산	품	을	∨	소	개	하	고	∨	싶	어	.
❷다	른	∨	지	역	∨	사	람	들	에	게	∨
자	랑	하	고	∨	싶	은	∨	것	들	이	∨
무	척	∨	많	거	든	.					

1 '우리 고장에 대해 소개하기' 발표에 대한 대화 흐름에 어울리는 말을 찾아 씁니다.

2 1에서 답한 내용을 두 문장으로 정리하여 씁니다.

3 2에서 쓴 문장을 차례대로 써서 내용을 완성합니다.

채점 기준

'우리 고장에 대해 소개하기' 발표에 대한 대화 내용에 알맞은 말을 썼으면 정답입니다.

106쪽 똑똑한 하루 글쓰기 고쳐쓰기

1 예 우리 조 는 우리 고장의 특산품에 대해 발표하자.
예 우리 모둠은 우리 고장의 특산품에 대해 발표하자.

2

	나	도	∨	열	심	히	∨	공	부	하	며	∨
발	표	를	∨	도	울	게	.					

1 '모듬'은 표준어가 아니므로 보기 의 알맞은 말로 고쳐 씁니다.

2 '열공'은 '열심히 공부(하다)'를 줄여서 쓴 말입니다.

107쪽 똑똑한 하루 글쓰기 마무리

❶ 『발레 하는 할아버지』를 읽어 봐. 할아버지의 사랑이 느껴지는 감동적인 책이야.
❷ 학교 도서관에서 빌릴 수 있어.

○ 대화 내용에 어울리는 대답을 각각 골라 씁니다.

채점 기준

구분	답안 내용	
평가 기준	대화 내용에 알맞은 대답을 모두 알맞게 골라 썼습니다.	상
	대화 내용에 알맞은 대답을 모두 골라 썼지만, 띄어쓰기나 맞춤법이 틀린 부분이 있습니다.	중
	❶과 ❷ 중 대화 내용에 알맞은 대답을 한 가지만 알맞게 골라 썼습니다.	하

3일

109쪽 똑똑한 하루 글쓰기 미리 보기

110~111쪽 똑똑한 하루 글쓰기

1 (1) 친구들과 함께 집에서 [붕][어][빵]을 만들어 먹었다.
(2) 달콤하고 부드러운 붕어빵은 이제껏 먹은 [간][식] 중에서 가장 맛있었다.

2 ❶ 친구들과 함께 집에서 [붕][어][빵][을] [만][들][어] 먹었다.
❷ 달콤하고 부드러운 붕어빵은 [이][제][껏] [먹][은] [간][식] 중에서 가장 맛있었다.

3 ❶ 친구들과 함께 예 집에서 붕어빵을 만들어 먹었다. ❷ 달콤하고 부드러운 붕어빵은 예 이제껏 먹은 간식 중에서 가장 맛있었다.

1 (1) 밤톨이는 친구들과 함께 집에서 붕어빵을 만들어 먹었습니다.
(2) 밤톨이는 붕어빵이 이제껏 먹은 간식 중에서 가장 맛있었다고 하였습니다.

2 밤톨이가 겪은 일이 무엇이고, 그 일을 겪고 어떤 생각이나 느낌이 들었는지 각각 문장으로 써 봅니다.

3 2에서 쓴 문장을 넣어 SNS에 쓸 글을 완성해 봅니다.

채점 기준

밤톨이가 겪은 일과 그 일을 겪고 생각하거나 느낀 점을 알맞게 썼으면 정답입니다.

더 알아보기

SNS는 소셜 네트워크 서비스를 가리킵니다. SNS 대신에 '누리 소통망', '누리 소통망 서비스'라고 부르기도 합니다.

112쪽 똑똑한 하루 글쓰기 고쳐쓰기

1 예 달래가 [얼][른] 붕어빵을 만들라고 다그쳤다.
예 달래가 [냉][큼] 붕어빵을 만들라고 다그쳤다.
예 달래가 [어][서] 붕어빵을 만들라고 다그쳤다.

2

	나	도	∨	'	좋	아	요	'	를	∨	눌
러	∨	줄	게	!							

1 '얼른', '냉큼', '어서'는 '빨리' 대신 바꾸어 써도 뜻이 통하는 낱말입니다.

2 어떤 행동에 대한 약속이나 의지를 나타내는 말 끝에는 '-ㄹ게'를 붙입니다. 달래는 '좋아요'를 눌러 주기로 약속하고 있으므로 '줄게'라고 써야 합니다.

더 알아보기

'께'는 '할머니께 안부 인사 드려라.'처럼 윗사람을 높일 때에만 사용합니다.

113쪽 똑똑한 하루 글쓰기 마무리

예 가족들과 함께 놀이공원에 다녀왔다. 예쁜 사진을 잔뜩 찍었다. 즐겁고 행복한 하루였다.
예 친구들과 놀이공원으로 소풍을 갔다. 하루 종일 놀이 기구를 마음껏 탔다. 다음에 또 오고 싶다고 생각했다.
예 예쁜 사진을 잔뜩 찍었다. 즐겁고 행복한 하루였다. 다음에 또 오고 싶다고 생각했다.

○ 누구와 놀이공원에 가서 무엇을 하고 어떤 생각을 하였는지 어울리는 문장을 골라 씁니다.

채점 기준

구분	답안 내용	
평가 기준	보기 에서 쓸 내용을 세 가지 골라 놀이공원에 다녀온 일을 알맞게 썼습니다.	상
	보기 에서 쓸 내용을 두 가지만 골라 놀이공원에 다녀온 일을 썼습니다.	중
	보기 에서 쓸 내용을 한 가지만 골라 놀이공원에 다녀온 일을 썼습니다.	하

4일

115쪽 똑똑한 하루 글쓰기 미리 보기

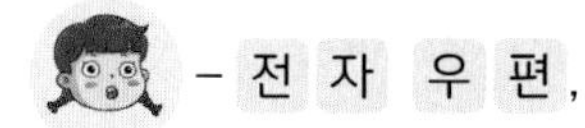

- 전 자 우 편,

- 편 지, - 사 진

116~117쪽 똑똑한 하루 글쓰기

1 (1) 고모를 정말 [뵙][고] 싶어요.
(2) 며칠 전부터 귀여운 [고][양][이]도 키우기 시작했어요.

2 ❶ 고모를 [정][말][뵙][고][싶][어][요].
❷ 며칠 전부터 귀여운 [고][양][이][도][키][우][기] 시작했어요.

3 고모, 안녕하세요. 잘 지내고 계시죠? 저 지수예요.
미국으로 이민 가신 고모를 못 뵌 지도 어느새 일 년이 지났어요. ❶ 예 고모를 정말 뵙고 싶어요.
저와 저희 가족은 모두 잘 지내고 있어요. ❷ 예 며칠 전부터 귀여운 고양이도 키우기 시작했어요. 고모께서 좋아하실 것 같아 고양이 사진을 함께 보내요.
항상 건강하게 지내시길 바라요.

1 (1) 지수는 미국에 계신 고모를 떠올리며 뵙고 싶어하고 있습니다.
(2) 지수는 며칠 전부터 고양이를 키우기 시작했습니다.

2 1에서 답한 지수가 고모에게 하고 싶은 말을 두 문장으로 정리하여 써 봅니다.

3 2에서 쓴 문장을 이용해 지수가 고모에게 보내는 이메일을 완성해 써 봅니다.

채점 기준

지수가 고모에게 하고 싶은 말을 잘 정리해 이메일을 완성해 썼으면 정답으로 합니다.

118쪽 똑똑한 하루 글쓰기 고쳐쓰기

1 [며][칠]

2 [ ][미][국][으][로][V][이][민][V][가][신][V][고][모][를][V][못][V][뵌][V][지][V][벌][써][V][일][V][년][이][V][됐][어][요][.]

1 '몇 날.'이라는 뜻에 알맞은 낱말은 '며칠'입니다. '몇 일'은 '며칠'의 잘못된 표현입니다.

2 '못 뵌 지'는 한 글자씩 모두 띄어 써야 합니다.

119쪽 똑똑한 하루 글쓰기 마무리

안녕, 보라야. 나 다윤이야.
내일은 주말이니까 ❶ 예 학교에서 말할 수 없을 것 같아 이렇게 이메일을 보내.
오늘 학교에서 미술 시간에 내가 실수로 네 옷에 물감을 묻혔지? ❷ 예 네 옷을 더럽혀서 정말 미안해.
바로 사과했어야 하는데 너무 당황해서 제대로 사과하지 못했어. 집에 와서 내내 네게 제대로 사과하지 못한 것이 마음에 걸렸어. 앞으로는 미술 시간에 더 조심할게.
주말 잘 보내고, 월요일에 학교에서 만나!

○ 그림과 이메일의 앞뒤 내용에 맞게 빈칸에 알맞은 문장을 각각 써 봅니다.

채점 기준

구분	답안 내용	
평가 기준	그림과 이메일의 앞뒤 내용에 어울리는 문장을 **보기** 에서 골라 맞춤법과 띄어쓰기에 맞게 잘 썼습니다.	상
	그림과 이메일의 앞뒤 내용에 어울리는 문장을 **보기** 에서 골라 썼지만 맞춤법이나 띄어쓰기가 틀린 부분이 있습니다.	중
	❶과 ❷ 중 하나의 문장만 맞게 골라 썼습니다.	하

더 알아보기

이메일을 쓰면 직접 얼굴을 보고 말하기 힘든 상황에서도 하고 싶은 말을 전달할 수 있어 좋습니다.

5일

121쪽

똑똑한 하루 글쓰기 미리 보기

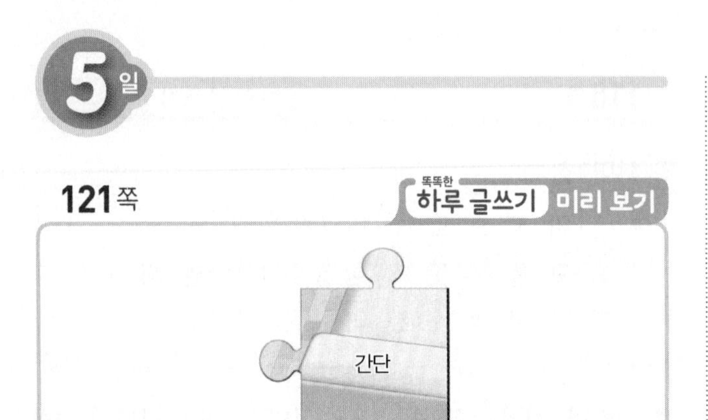

122~123쪽

똑똑한 하루 글쓰기

1 (1) 우리 학교 [운][동][장]에 고장 난 놀이 기구가 많습니다.
(2) 수리가 끝날 때까지 [놀][이] [기][구]를 사용하지 맙시다.

2 ❶ 우리 학교 [운][동][장][에] [고][장] [난] [놀][이] [기][구][가] 많습니다.
❷ 수리가 끝날 때까지 [놀][이] [기][구][를] [사][용][하][지] 맙시다.

3 안녕하세요. 학급 회장 김유빈입니다. 우리 반 친구들에게 알립니다.
❶ 예 우리 학교 운동장에 고장 난 놀이 기구가 많습니다.
❷ 예 수리가 끝날 때까지 놀이 기구를 사용하지 맙시다.
곧 수리할 것이라고 하니 모두의 안전을 위해서 협조해 주세요. 고맙습니다.

1 운동장을 본 유빈이는 수리가 끝날 때까지 고장 난 놀이 기구를 사용하지 말자는 말을 전하려고 합니다.

2 1에서 답한 유빈이가 반 친구들에게 전하고 싶은 말을 두 문장으로 다시 써 봅니다.

3 2에서 쓴 문장을 이용해 학급 회장 유빈이가 학급 누리집에 올릴 공지 글을 완성해 써 봅니다.

채점 기준

유빈이가 반 친구들에게 전하고 싶은 말이 잘 드러나게 공지 글을 완성해 썼으면 정답으로 합니다.

124쪽

똑똑한 하루 글쓰기 고쳐쓰기

1 (1) [많][다] (2) [크][다]

2 [ ][우][리][V][반][V][친][구][들][이][V][놀][다][가][V][다][칠][V][것][V][같][아][.]

1 (1) 망가진 놀이 기구의 개수가 많은 상황에 알맞은 뜻의 낱말인 '많다'로 고쳐 써야 합니다.
(2) 농구공이 야구공보다 부피가 큰 상황에 알맞은 뜻의 낱말인 '크다'로 고쳐 써야 합니다.

2 '것'은 '다칠'이라는 다른 낱말 뒤에서 띄어 씁니다.

더 알아보기
'이것', '저것', '그것'은 하나의 낱말이므로 붙여 씁니다.

125쪽

똑똑한 하루 글쓰기 마무리

예 ❶ 학급 회의 실천 내용 알림
❷ 오늘 우리 반 친구들이 함께 정한 학급 회의의 실천 내용은 '쓰레기 분리배출을 잘 하자.'입니다.
앞으로 함께 결정한 실천 내용을 잘 지켜 주시길 바랍니다. 고맙습니다.

예 ❶ 여름 방학 시작 날짜 변경 안내
❷ 여름 방학 시작 날짜가 7월 30일로 변경되어 우리 반 친구들에게 알립니다.
7월 29일까지 모든 친구들은 정상적으로 등교해 주시기 바랍니다. 고맙습니다.

○ 공지 글을 통해 전하려는 내용이 잘 드러나도록 공지 글을 완성해 봅니다.

채점 기준

구분	답안 내용	
평가 기준	공지 글을 통해 전하려는 내용이 잘 드러나게 제목과 공지 글을 잘 썼습니다.	상
	공지 글을 통해 전하려는 내용이 잘 드러나게 제목과 공지 글을 썼지만 맞춤법이나 띄어쓰기가 틀린 부분이 있습니다.	중
	공지 글을 통해 전하려는 내용이 잘 드러나지 않습니다.	하

특강 똑똑한 하루 창의·융합·코딩

127쪽

낮에 엄마께서 아끼시는 꽃병을 깨고도 모르는 척하려니 "도 둑 이 제 발 저 리 다"라는 말처럼 계속 초조하다.

128쪽

- '가루를 물에 부어 이겨 갬. 또는 그렇게 한 것.'이라는 뜻의 낱말은 '반죽', '두 사람 이상이 한 물건을 함께 가짐.'이라는 뜻의 낱말은 '공유', '고장 나거나 허름한 데를 손보아 고침.'이라는 뜻의 낱말은 '수리'입니다.

왜 틀렸을까?

- **반성**: 자신의 말과 행동에 대하여 잘못이나 부족함이 없는지 돌이켜 봄.
- **자유**: 무엇에 얽매이지 않고 자기 마음대로 할 수 있는 상태.
- **수고**: 일을 하느라고 힘을 들이고 애를 씀. 또는 그런 어려움.

129쪽

친구들이 시킨 음식은 짜장면 2개, 짬뽕 1개, 탕수육 1개예요. 주문한 음식의 가격을 모두 더한 음식값은 33000 원이에요.

- 5000원짜리 짜장면 2개와 7000원짜리 짬뽕 1개, 16000원짜리 탕수육 1개의 가격을 모두 더하면 33000원이 됩니다.

130쪽

붕어빵

- 주로 겨울에 먹는 간식이고, 따듯하게 먹는 음식이라고 하였으므로 팥빙수는 아닙니다. 국물은 없다고 하였고, 재료에 생선이 들어가지 않는다고 하였으므로 어묵도 아닙니다. 물고기 모양을 하고 있다고 하였으므로 둥글고 넓적한 호떡도 아닙니다.

131쪽

(1) ○

- '← 방향으로 1칸 움직이기, ↓ 방향으로 1칸 움직이기'를 세 번 반복하면 망가진 그네에 가장 먼저 도착할 수 있습니다. 코딩 명령에 따라 이동하면 다음과 같습니다.

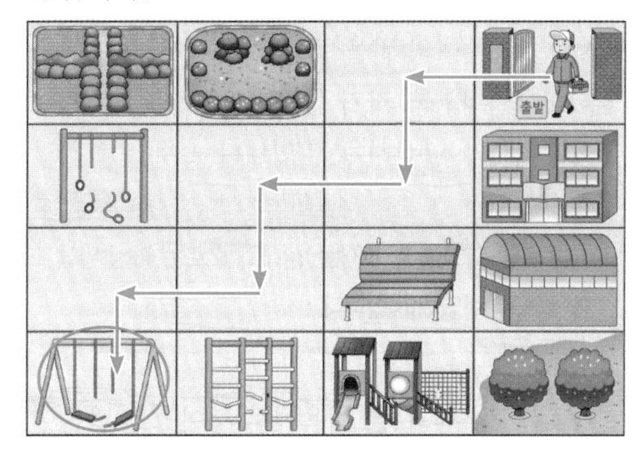

평가 누구나 100점 테스트

132~133쪽

1 지안

2

	개	가	V	정	말	V	귀
엽	다	.	나	도	V	개	를 V
키	우	고	V	싫	어	.	

3 (2) ○　　4 (1) ○

5 붕 어 빵 을 만들어 먹은 일

6

	고	모	께	서	V	좋	아
하	실	V	것	V	같	아	V
고	양	이	V	사	진	을	V
함	께	V	보	내	요	.	

7 첫인사　　8 (2) ○

9 놀이 기구　　10 판판

1 댓글을 쓸 때에는 글을 읽고 어떤 생각이나 느낌이 들었는지, 그러한 생각이나 느낌이 든 까닭이 무엇인지 잘 드러나게 써야 합니다.

2 글쓴이가 자기 개를 소개하는 글을 읽고 쓰는 댓글이므로, '개'에 관해 말하는 것이 알맞습니다.

3 온라인 대화는 실시간으로 메신저 등을 사용해 대화하는 것을 말합니다.

왜 틀렸을까?

전화기를 통해 목소리를 내어 대화하는 것은 전화 통화입니다. 온라인 대화는 메신저 등을 사용해서 글과 그림 등을 주고받으며 대화합니다.

4 줄임 말은 본래의 말을 짧고 간단하게 줄여 만든 말입니다. '열'과 '공' 자가 들어가 있고, 뜻이 자연스러운 말은 (1)의 '열심히 공부'입니다.

더 알아보기

온라인 대화를 할 때에는 상대가 모르는 줄임 말을 쓰지 않도록 주의해야 합니다.

5 SNS 글의 사진과 글 내용에서 붕어빵을 만들어 먹은 일을 사람들과 공유하기 위해 올린 글이라는 것을 알 수 있습니다.

더 알아보기

'해시태그'에 대해 알아보기

글의 내용을 잘 나타내는 핵심어 앞에 '#' 기호를 붙여 써서 검색하기 쉽도록 만드는 말입니다. 해시태그를 쓸 때에는 띄어쓰기를 하지 않습니다.

예 #소풍 #즐거운하루 #계란듬뿍김밥

6 이메일은 글자뿐만 아니라 사진, 음악, 동영상 등을 함께 보낼 수 있습니다. 함께 보낸 사진에 어울리는 낱말은 '고양이'입니다.

7 이메일에는 편지의 형식을 따라 첫인사, 전하고 싶은 말, 끝인사 등을 씁니다. ㉠은 이메일의 첫인사 부분입니다.

8 '@'이 들어간 주소를 사용해 인터넷을 통하여 주고받는 편지는 '이메일'로, '전자 우편'이라고도 합니다.

왜 틀렸을까?

(1) **일기**: 날마다 그날그날 겪은 일이나 생각, 느낌 따위를 적는 개인의 기록.

(3) **문자 메시지**: 휴대 전화에서, 글자판을 이용하여 문자로 된 간단한 내용을 내용을 상대에게 전달하는 글.

9 유빈이가 공지 글에서 전하고 싶은 말은 수리가 끝날 때까지 놀이 기구를 사용하지 말자는 것입니다.

10 이 글은 공지 글로, 여러 사람이 두루 알아야 할 내용을 짧고 간단하게 쓴 글입니다.

136~137쪽 4주에는 무엇을 공부할까? ❷

1-1 (1) ○　　1-2 견 학 기록문
2-1 (3) ×　　2-2 본 것

1-1~1-2 어떤 장소를 다녀온 뒤에 알게 된 사실을 중심으로 보고 듣고 생각하거나 느낀 것을 기록한 글을 견학 기록문이라고 합니다.

2-1 견학 기록문의 가운데 부분에는 견학을 가서 본 것이나 들은 것을 씁니다.

2-2 견학을 가서 치타를 본 것을 쓴 내용입니다.

139쪽 똑똑한 하루 글쓰기 미리 보기

– 어 디 ,　– 언 제 ,　– 왜

140~141쪽 똑똑한 하루 글쓰기

1 내가 원하는 직 업에 대해 알고 싶다. 그리고 그 직업을 직접 체 험해 보고 싶다.

2 내가 원하는 직 업에 대해 알 고 싶고, 그 직업을 직접 체 험 해 보 고 싶어서이다.

3 　내 가 ∨ 원 하 는 ∨ 직 업 에 ∨
대 해 ∨ 알 고 ∨ 싶 고 , 그 ∨ 직
업 을 ∨ 직 접 ∨ 체 험 해 ∨ 보 고 ∨
싶 어 서 이 다 .

1 채민이가 직업 체험 테마 공원에 간 목적은 원하는 직업에 대해 알고 싶고, 그 직업을 직접 체험해 보기 위해서입니다.

2 '~ 싶다'와 '그리고'를 합쳐서 '싶고'로 쓰면 두 문장을 한 문장으로 바꾸어 쓸 수 있습니다.

3 2에서 쓴 문장을 넣어 직업 체험 테마 공원으로 견학을 간 목적을 써 봅니다.

채점 기준

직업 체험 테마 공원으로 견학을 간 목적을 맞춤법이나 띄어쓰기에 맞게 잘 썼으면 정답입니다.

142쪽 똑똑한 하루 글쓰기 고쳐쓰기

1 되 어

2 　마 치 ∨ 내 가 ∨ 어 른 이 ∨ 된 ∨
것 처 럼 ∨ 느 껴 졌 다 .

1 '돼'는 '되어'를 줄여서 쓴 말입니다. 따라서 '돼어'는 '돼' 또는 '되어'로 고쳐 써야 합니다.

2 '~처럼'과 어울리는 말은 '만약'이 아니라 '마치'입니다.

더 알아보기

붙어 다니는 말 더 알아보기 ㉠

붙어 다니는 말	㉠
비록 ~지만	비록 힘든 일이지만 보람은 있다.
왜냐하면 ~ 때문이다	지각을 했다. 왜냐하면 늦잠을 잤기 때문이다.
만약 ~라면	만약 내가 부자라면 기부를 많이 할 것이다.

143쪽 똑똑한 하루 글쓰기 마무리

㉠ 다양한 직업을 직접 체험해 보며 나에게 맞는 직업을 찾고 싶어서 어제 직업 체험 테마 공원에 다녀왔다.

● 견학을 간 목적은 무엇인지, 언제 견학을 갔는지, 어디로 견학을 갔는지 정리하여 써 봅니다.

채점 기준

구분	답안 내용	
평가 기준	견학 목적, 견학 날짜, 견학 장소를 모두 넣어 알맞게 썼습니다.	상
	견학 목적을 알맞게 썼지만 견학 날짜나 견학 장소 중 빠진 내용이 있습니다.	중
	견학 목적을 알맞게 쓰지 못하였습니다.	하

2일

145쪽

똑똑한 하루 글쓰기 미리 보기

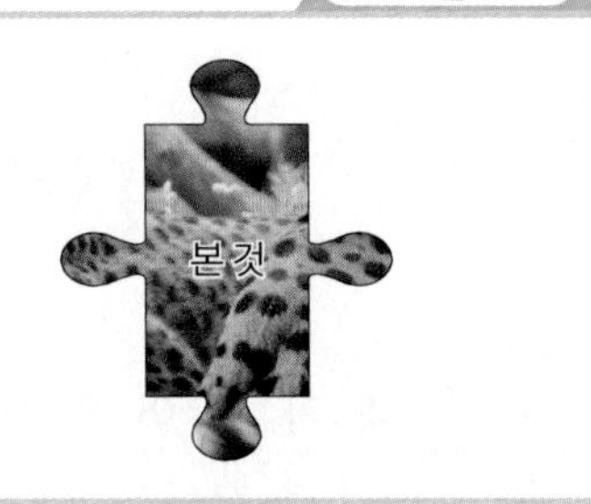

146~147쪽

똑똑한 하루 글쓰기

1 (1) 대동물관에서는 [코][끼][리]나 코뿔소와 같은 몸집이 큰 동물들을 볼 수 있었다.
(2) 아기 코끼리는 거대한 몸에 긴 [코]와 큰 귀를 가진 엄마 코끼리를 졸졸 따라다니고 있었다.

2 ❶ 대동물관에서는 [코][끼][리]나 코뿔소와 같은 [몸][집][이] [큰] 동물들을 볼 수 있었다.
❷ 아기 코끼리는 거대한 몸에 [긴] [코]와 큰 귀를 가진 엄마 코끼리를 [졸][졸] [따][라][다][니][고] 있었다.

3 대동물관에서는 ❶ 예 코끼리나 코뿔소와 같은 몸집이 큰 동물들을 볼 수 있었다. 아기 코끼리는 ❷ 예 거대한 몸에 긴 코와 큰 귀를 가진 엄마 코끼리를 졸졸 따라다니고 있었다.

1 (1) 사진에 엄마 코끼리와 아기 코끼리가 있습니다.
(2) 사진에 있는 엄마 코끼리는 긴 코를 갖고 있습니다.

2 첫 번째 문장에는 대동물관에서 볼 수 있는 동물이 무엇인지 쓰고, 두 번째 문장에는 엄마 코끼리와 아기 코끼리의 모습이 어떠한지 씁니다.

3 2에서 쓴 문장을 넣어 대동물관에서 본 것의 내용을 완성합니다.

채점 기준

대동물관에서 본 동물들, 코끼리의 모습 등을 알맞게 썼으면 정답입니다.

148쪽

똑똑한 하루 글쓰기 고쳐쓰기

1 [띤]

2 | 동|물|들|이|∨|먹|이|를|∨|먹|는|∨|모|습|을|∨|볼|∨|수|도|∨|있|다|.|

1 '붉은빛을'이라는 말이 앞에 나오므로 '빛깔이나 색체 따위를 가진.'이라는 뜻의 '띤'을 써야 합니다.

2 '수'는 쓸 때에는 앞에 오는 말과 띄어 써야 하므로 '볼∨수도'와 같이 띄어쓰기를 고쳐 써야 합니다.

더 알아보기

'수'와 마찬가지로 '것'과 '줄'도 쓸 때에는 '낡은∨것', '칠∨줄'과 같이 앞에 오는 말과 띄어 써야 합니다.

149쪽

똑똑한 하루 글쓰기 마무리

예 마지막으로 간 곳은 제2아프리카관이었다. 그곳에는 ❶ 하마와 미어캣 등이 생활하고 있었다. 내 눈길을 끈 것은 미어캣이었다. ❷ 사막의 파수꾼이라는 별명대로 미어캣들이 쉬지 않고 고개를 이리저리 돌리며 주변을 살피는 모습을 볼 수 있었기 때문이다.

예 마지막으로 간 곳은 제3아프리카관이었다. 그곳에는 ❶ 사자와 치타 등이 생활하고 있었다. 내 눈길을 끈 것은 사자였다. ❷ 동물의 왕이라 불리는 사자지만, 새끼와 함께 있는 모습은 순한 고양이처럼 보였기 때문이다.

○ 제2아프리카관이나 제3아프리카관에서 볼 수 있는 동물들이 무엇인지, 동물의 모습이 어떠한지 써넣어 견학 기록문에 들어갈 내용을 완성해 봅니다.

채점 기준

구분	답안 내용	
평가 기준	고른 전시관에 맞는 내용을 두 가지 모두 넣어 알맞게 썼습니다.	상
	고른 전시관에 맞는 내용을 두 가지 모두 넣어 썼지만 맞춤법이나 띄어쓰기에서 틀린 부분이 있습니다.	중
	고른 전시관에 맞지 않는 내용이 섞여 있습니다.	하

3일

151쪽
똑똑한 하루 글쓰기 미리 보기

❶ 가 운 데
❷ 언 제
❸ 어 디

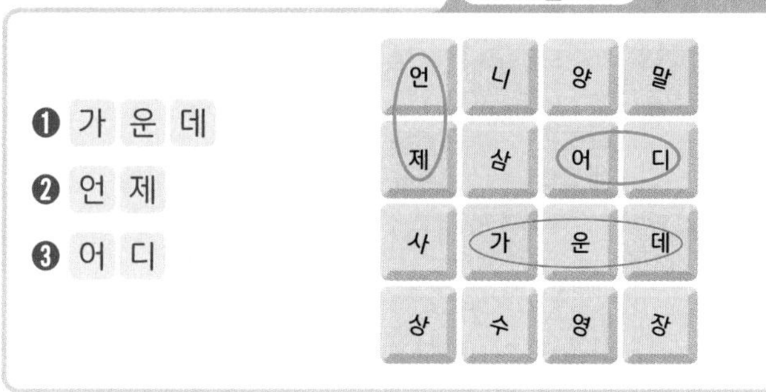

152~153쪽
똑똑한 하루 글쓰기

1 (1) '근정전'이라는 이름에는 '부지런히 나라를 다스리라'는 뜻이 담겨 있다고 하셨다.
(2) 근정전은 왕의 즉위식이나 혼례식 같은 나라의 중요한 행사를 치르던 곳이라고 하셨다.

2 ❶ 선생님께서 '근정전'이라는 이름에는 '부지런히 나라를 다스리라'는 뜻이 담겨 있다고 하셨다.
❷ 또 근정전은 왕의 즉위식이나 혼례식 같은 나라의 중요한 행사를 치르던 곳이라고 하셨다.

3 광화문에서 해태 조각상을 보고, 근정전으로 갔다. 근정전은 경복궁에서 가장 크고 웅장한 건물이었다. ❶ 예 선생님께서 '근정전'이라는 이름에는 '부지런히 나라를 다스리라'는 뜻이 담겨 있다고 하셨다. ❷ 예 또 근정전은 왕의 즉위식이나 혼례식 같은 나라의 중요한 행사를 치르던 곳이라고 하셨다.

1 (1) '근정전'이라는 이름에는 '부지런히 나라를 다스리라'는 뜻이 담겨 있습니다.
(2) 근정전은 왕의 즉위식이나 혼례식 같은 나라의 중요한 행사를 치르던 곳입니다.

2 근정전을 견학하며 선생님께 들은 내용을 두 문장으로 정리하여 써 봅니다.

3 2에서 쓴 문장을 넣어 근정전을 견학한 내용을 완성해 봅니다.

채점 기준

근정전을 견학하며 들은 내용을 넣어 근정전에 대한 내용을 알맞게 완성하여 썼으면 정답입니다.

154쪽
똑똑한 하루 글쓰기 고쳐쓰기

1 또 근정전은 왕의 즉위식이나 결혼식 같은 국가의 중요한 행사를 치르던 곳이라고 하셨어.

2 '근정전'이라는 ∨ 이름에는 ∨ '부지런히 ∨ 나라를 ∨ 다스리라'는 ∨ 뜻이 ∨ 담겨 ∨ 있다고 ∨ 하셨어.

1 '부부 관계를 맺는 서약을 하는 의식.'이라는 뜻의 '혼례식'은 '결혼식'과 뜻이 비슷한 낱말입니다. '일정한 영토와 거기에 사는 사람들로 구성되고, 주권에 의한 하나의 통치 조직을 가지고 있는 사회 집단.'이라는 뜻의 '나라'는 '국가'와 뜻이 비슷한 낱말입니다.

2 '부지런히'가 맞춤법에 맞는 말입니다.

155쪽
똑똑한 하루 글쓰기 마무리

마지막으로 간 곳은 경회루였다. 경회루는 2층 높이로 지어진 누각이었다. 선생님께서 경회루는 ❶ 예 연못 가운데 섬을 만들고 그 위에 지은 것이라고 하셨다. 또 이곳은 왕이 ❷ 예 외국에서 온 손님들이나 신하들에게 잔치를 베풀기 위해 지은 곳이라고 하셨다.

○ 경회루를 견학하며 선생님께 들은 내용을 써 봅니다.

채점 기준

구분	답안 내용	
평가 기준	선생님께 경회루에 대해 들은 내용 두 가지를 모두 알맞게 써넣었습니다.	상
	선생님께 경회루에 대해 들은 내용 두 가지 중 한 가지만 알맞게 써넣었습니다.	중
	선생님께 경회루에 대해 들은 내용과 전혀 상관없는 내용을 써넣었습니다.	하

4일

157쪽

똑똑한 하루 글쓰기 미리 보기

- 끝 부 분, - 느 낌, - 깨 닫 게

158~159쪽

똑똑한 하루 글쓰기

1 우리나라 화폐에는 위 조 를 막을 수 있는 장치들이 많이 숨어 있다. 화폐를 만져 보고, 기울여 보고, 빛에 비춰 보면 진짜인지 가짜인지 확인해 볼 수 있다.

2 앞으로는 화폐에 숨어 있는 위 조 를 막을 수 있는 장치들을 잘 알아 두어 화폐를 사용할 때마다 진짜인지 가 짜 인 지 확 인 해 봐야겠다.

3

	앞	으	로	는	V	화	폐	에	V	숨	어	V
있	는	V	위	조	를	V	막	을	V	수	V	
있	는	V	장	치	들	을	V	잘	V	알	아	V
두	어	V	화	폐	를	V	사	용	할	V	때	
마	다	V	진	짜	인	지	V	가	짜	인	지	V
확	인	해	V	봐	야	겠	다	.				

1 사진에는 오만 원권에 숨어 있는 위조를 막을 수 있는 장치들이 표시되어 있습니다.

더 알아보기

화폐 위조란 화폐 발행권자가 아닌 자가 일반인이 잘못 생각할 수 있을 정도의 가짜 화폐를 만드는 것을 말합니다.

2 1에서 답한 사실에 대해 생각하거나 느낀 것이 잘 드러나도록 문장을 써 봅니다.

3 2에서 쓴 문장을 넣어 견학 기록문에 들어갈 생각하거나 느낀 것의 내용을 완성해 봅니다.

채점 기준

화폐에 숨어 있는 위조를 막을 수 있는 장치들에 대해 생각하거나 느낀 것을 맞춤법이나 띄어쓰기에 맞게 잘 썼으면 정답입니다.

160쪽

똑똑한 하루 글쓰기 고쳐쓰기

1 우리나라의 돈 을 귀 중 히 사용해야겠다.

2

	화	폐	를	V	만	져	V	보	고	,	기	
울	여	V	보	고	,	빛	에	V	비	춰	V	
보	면	V	진	짜	인	지	V	가	짜	인	지	V
확	인	해	V	볼	V	수	V	있	다	고	V	
한	다	.										

1 '상품을 사고팔거나 다른 상품과 교환할 때 상품의 가치를 매기는 기준이 되며, 상품과 교환할 수 있는 수단이 되는 것.'이라는 뜻의 '화폐'는 '돈'과 뜻이 비슷한 낱말입니다. 또 '매우 귀중하게.'라는 뜻의 '소중히'는 '귀중히'와 바꾸어 써도 문장의 뜻이 변하지 않습니다.

2 '만지어'와 '비추어'의 준말은 '만져'와 '비춰'입니다.

왜 틀렸을까?

'ㅣ'와 'ㅓ'가 합쳐질 때에는 'ㅕ'로 줄여 쓸 수 있기 때문에 '만지어'의 준말은 '만저'가 아니라 '만져'입니다. 또 'ㅜ'와 'ㅓ'가 합쳐질 때에는 'ㅝ'로 줄여 쓸 수 있기 때문에 '비추어'의 준말은 '비쳐'가 아니라 '비춰'입니다.

161쪽

똑똑한 하루 글쓰기 마무리

예

	여	러		과	정	을		거	쳐		발
달	해		온		우	리	나	라	의		화
폐	를		소	중	히		사	용	해	야	겠
다	.										

예

	나	도		이	다	음	에		훌	륭	한
업	적	을		남	겨		화	폐	에		내
얼	굴	이		들	어	가	면		좋	겠	다
고		생	각	했	다	.					

● 화폐박물관에서 보고 들어서 알게 된 사실에 대해 생각하거나 느낀 것이 무엇인지 써 봅니다.

채점 기준

구분	답안 내용	
평가 기준	보기 중 한 가지를 골라 맞춤법과 띄어쓰기에 맞게 잘 썼습니다.	상
	보기 중 한 가지를 골라 썼지만 맞춤법과 띄어쓰기에서 틀린 부분이 있습니다.	중
	화폐박물관에서 보고 들은 것과 관련이 없는 생각이나 느낌을 썼습니다.	하

5일

163쪽

똑똑한 하루 글쓰기 미리 보기

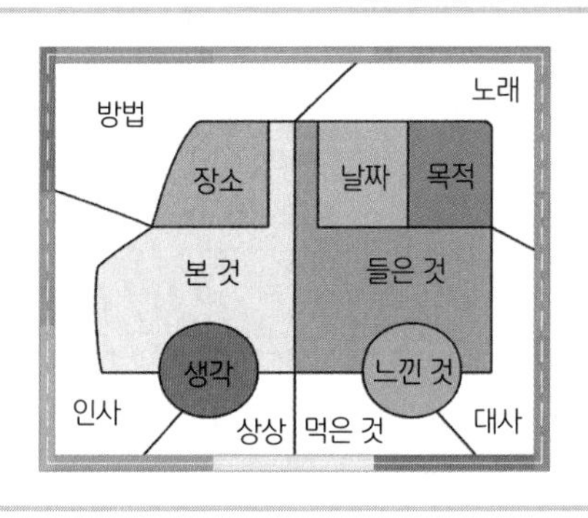

164~165쪽

똑똑한 하루 글쓰기

1 한 글이 만들어진 원 리를 알고 싶어서이다.

2 ❶ 『훈 민 정 음 해 례 본』을 봤다.

❷ 한글은 발 음 기 관 의 모 양 을 본 떠 기본 자음자를 만들고, 하늘, 땅, 사람을 본떠 기본 모음자를 만들었다고 한다.

3 예 과학적이고 우수한 한글의 소중함을 깨닫고 바르게 써야겠다고 생각했다.

예 한글이 우수하고 과학적이라는 사실을 깨닫게 되니 자랑스러운 마음이 들었다.

1 만화에서 기찬이는 한글이 만들어진 원리를 알고 싶어서 국립한글박물관에 다녀왔다고 말하였습니다.

2 본 것은 『훈민정음해례본』이고, 들은 것은 한글의 기본 자음자와 기본 모음자를 만든 원리입니다.

3 국립한글박물관을 견학하며 생각하거나 느낀 것으로 마음에 드는 내용을 한 가지 골라 써 봅니다.

채점 기준

보기 의 내용 중 한 가지를 골라 알맞게 썼으면 정답입니다.

166쪽

똑똑한 하루 글쓰기 고쳐쓰기

1 하늘, 땅, 사람을 본떠 기본 모음자를 만 들 었 대.

2

	한	글	은	V	세	종	V	대	왕	이	V
글	을	V	읽	지	V	못	해	V	어	려	움
을	V	겪	는	V	백	성	을	V	위	해	V
만	든	V	글	자	였	어	.				

1 기본 모음자를 만든 원리에 대해 들은 것을 쓴 문장이므로 '-대'를 써야 합니다.

2 '읽지', '겪는'이 맞춤법에 맞는 말입니다.

167쪽

똑똑한 하루 글쓰기 마무리

예

견학 장소	국립경주박물관
날짜	20○○년 11월 10일
견학 목적	신라의 역사를 한눈에 보고 싶어서이다.
보고 들은 것	국립경주박물관에는 신라 시대의 각종 유물이 전시되어 있었다. 그중에서도 가장 눈에 띈 것은 천마총에서 출토된 금관과 금제허리띠, 얼굴무늬수막새였다. 선생님께서는 천마총에서 출토된 금관과 금제허리띠는 국보로 정해진 문화재라고 말씀해 주셨다. 또 얼굴무늬수막새를 소재로 쓴 시도 낭송해 주셨다.
생각하거나 느낀 것	책에서만 보던 문화재들을 직접 눈으로 볼 수 있어 신기했고, 앞으로 더 열심히 우리나라의 역사에 대해 공부해야겠다는 생각이 들었다.

○ 견학을 다녀왔던 경험을 떠올려 보고, 견학 기록문을 쓰는 방법에 맞게 견학 기록문을 써 봅니다.

채점 기준

구분	답안 내용	
평가 기준	견학 장소, 날짜, 견학 목적, 보고 들은 것, 생각하거나 느낀 것을 모두 넣어 견학 기록문을 알맞게 썼습니다.	상
	견학 기록문에 들어갈 내용 중 일부가 빠져 있거나 맞춤법이나 띄어쓰기가 틀린 부분이 있습니다.	중
	견학을 하며 보고 들은 것이나 생각하거나 느낀 것만 간단하게 썼습니다.	하

특강 똑똑한 하루 창의·융합·코딩

169쪽

"똥 묻은 개가 겨 묻은 개 나무란다"더니 0점 맞은 짝꿍이 30점 맞은 나를 놀렸다.

170쪽

출발
견학: 휴식을 취하기 위하여 나갔다 오는 일.
초원: 풀이 나 있는 들판.
백성: 나라를 다스리는 사람.
섭외: 어떤 일을 이루기 위하여 연락하여 의논함.
화폐: 돈이나 물건을 주고받은 사실이 적힌 종이.
위조: 남을 속이려고 물건이나 문서를 진짜처럼 만듦.
도착

- '휴식을 취하기 위하여 나갔다 오는 일.'이라는 뜻의 낱말은 '견학'이 아니라 '소풍'입니다. '나라를 다스리는 사람.'이라는 뜻의 낱말은 '백성'이 아니라 '왕'입니다. '돈이나 물건을 주고받은 사실이 적힌 종이.'라는 뜻의 낱말은 '화폐'가 아니라 '영수증'입니다. 낱말 '초원', '섭외', '위조'의 뜻은 알맞게 나와 있습니다.

171쪽

코딩 명령을 따라가면 기린, 타조, 얼룩말을 볼 수 있어요.

- 코딩 명령에 따라 이동하면 다음과 같습니다.

출발
도착

172쪽

 (1) ○

- 토끼 인형이 20000원, 젤리가 3000원, 초콜릿이 700원이므로 총 23700원을 내야 합니다. (1)의 화폐는 23700원이고, (2)의 화폐는 22700원입니다.

173쪽

- 그림에서 발음 기관의 모양을 본떠 만든 기본 자음자 'ㄱ, ㄴ, ㅁ, ㅅ, ㅇ'을 찾아봅니다.

평가 누구나 100점 테스트

174~175쪽

1 밤톨 2 ③, ④

3

	내	가	V	어	른
이	V	된	V	것	처
럼	V	느	껴	졌	다.

4 (1) ○ 5 (1) ○

6 ① 7 (1) ×

8 화폐박물관 9 ⑤

10

	한	글	의	V	소
중	함	을	V	알	고 V
바	르	게	V	써	야
겠	다	.			

1 견학 기록문은 어떤 장소를 다녀온 뒤에 알게 된 사실을 중심으로 보고 듣고 생각하거나 느낀 것을 기록한 글입니다.

왜 틀렸을까?

오늘 있었던 일과 그 일에 대한 생각이나 느낌을 쓴 글은 일기입니다.

2 '나에게 꼭 맞는 직업이 무엇인지 알고 싶어서'라는 부분은 견학 목적에 해당하고, '직업 체험 테마 공원'은 견학 장소에 해당합니다.

3 '돼'는 '되어'를 줄여 쓴 말이므로 '내가 어른이 된 것처럼 느껴졌다.'에서 '됀'은 '된'으로 고쳐 써야 합니다.

4 제1아프리카관 다음으로 간 곳인 대동물관에서 코끼리나 코뿔소와 같은 몸집이 큰 동물들을 보았습니다.

5 아기 코끼리가 엄마 코끼리를 졸졸 따라다니고 있는 사진은 (1)입니다.

6 '국가'와 '나라'는 뜻이 비슷한 낱말로 서로 바꾸어 써도 문장의 뜻이 달라지지 않습니다.

7 (1)은 광화문에서 본 것을 쓴 것입니다.

8 화폐에 숨어 있는 위조를 막을 수 있는 장치들에 대한 내용이 나오는 것으로 보아, 견학 장소는 화폐박물관일 것이라고 추측할 수 있습니다.

더 알아보기

견학

- 견학이란 눈으로 보고 그것에 대한 지식을 얻는 일로, 학습에 도움을 주거나 생활과 관계가 깊은 시설 등을 직접 찾아가서 보고 듣고 느끼는 일입니다.
- 견학을 가기 전에 견학을 갈 장소에 대해 미리 조사하고, 궁금한 점이나 알고 싶은 내용은 적어 두어야 합니다.
- 견학을 가서는 안내하는 사람의 설명을 잘 듣고, 중요한 내용은 적어 두어야 합니다. 또 궁금한 점을 물어보고, 필요한 자료를 얻어 와야 합니다.

9 화폐에 숨어 있는 위조를 막을 수 있는 장치들에 대해 생각하거나 느낀 것을 쓴 내용입니다.

10 국립한글박물관으로 견학을 다녀왔으므로 한글의 소중함을 깨달았을 것이라고 추측할 수 있습니다.

더 알아보기

견학 기록문과 기행문의 차이점

견학 기록문	특정 장소를 견학하여 알게 된 정보를 중심으로 정해진 형식에 따라 쓴 글입니다.
기행문	자유로운 형식으로 여행 다닌 순서에 따라 보고 듣고 느낀 점을 중심으로 쓴 글입니다.

memo

편지 쓰기

기억에 남는 일을 일기로 남겨 봐요.

즐겁고 행복했던 일

날짜: 　　　　　　　　　　 날씨:

제목:

슬프고 속상했던 일

날짜: 　　　　　　　　　　 날씨:

제목:

친절한 말은 아주 짧기 때문에
말하기가 쉽다.

하지만 그 말의 메아리는 무궁무진하게
울려 퍼지는 법이다.

Kind words can be short and easy to speak,
but their echoes are truly endless.

테레사 수녀

친절한 말, 따뜻한 말 한마디는 누군가에게 커다란 힘이 될 수도 있어요.
나쁜 말 대신 좋은 말을 하게 되면 언젠가 나에게 보답으로 돌아온답니다.
앞으로 나쁘고 거친 말 대신 좋고 예쁜 말만 쓰기로 우리 약속해요!

정답은
이 안에
있어!

기초 학습능력 강화 프로그램

매일 조금씩 공부력 UP!

하루 독해　하루 어휘　하루 글쓰기　하루 VOCA

하루 수학　하루 계산　하루 도형　하루 사고력

과목	교재 구성	과목	교재 구성
하루 수학	1~6학년 1·2학기 12권	**하루 사고력**	1~6학년 A·B단계 12권
하루 VOCA	3~6학년 A·B단계 8권	**하루 글쓰기**	예비초~6학년 A·B단계 12권
하루 사회	3~6학년 1·2학기 8권	**하루 한자**	1~6학년 A·B단계 12권
하루 과학	3~6학년 1·2학기 8권	**하루 어휘**	예비초~6학년 1~6단계 6권
하루 도형	1~6단계 6권	**하루 독해**	예비초~6학년 A·B단계 12권
하루 계산	1~6학년 A·B단계 12권		

※ 각 교재별 출간 시기는 조금씩 다릅니다.

배움으로 행복한 내일을 꿈꾸는

천재교육 커뮤니티 안내

교재 안내부터 구매까지 한 번에!

천재교육 홈페이지

천재교육 홈페이지에서는 자사가 발행하는 참고서,
교과서에 대한 소개는 물론 도서 구매도 할 수 있습니다.
회원에게 지급되는 별을 모아 다양한 상품 응모에도
도전해 보세요.

구독, 좋아요는 필수! 핵유용 정보 가득한

천재교육 유튜브 <천재TV>

신간에 대한 자세한 정보가 궁금하세요?
참고서를 어떻게 활용해야 할지 고민인가요?
공부 외 다양한 고민을 해결해 줄 채널이 필요한가요?
학생들에게 꼭 필요한 콘텐츠로 가득한 천재TV로 놀러 오세요!

다양한 교육 꿀팁에 깜짝 이벤트는 덤!

천재교육 인스타그램

천재교육의 새롭고 중요한 소식을 가장 먼저 접하고 싶다면?
천재교육 인스타그램 팔로우가 필수!
누구보다 빠르고 재미있게 천재교육의 소식을 전달합니다.
깜짝 이벤트도 수시로 진행되니 놓치지 마세요!